DISCARDED FROM
GARFIELD COUNTY
LIBRARIES

GARFIELD COUNTY LIBRARIES
Carbondale Branch Library
320 Sopris Ave
Carbondale, CO 81623
(970) 963-2889 – Fax (970) 963-8573
www.gcpld.org

Will Bowen es Ministro de la Iglesia Cristiana de la Unidad en Kansas City. En julio de 2006 le sugirió a su congregación utilizar la pulsera morada para monitorear su avance para erradicar la queja de sus vidas. Su idea, que comenzó con apenas poco más de 300 fieles, explotó a nivel mundial y más de 6 millones de personas, de ochenta países, han solicitado su pulsera. A partir de entonces, Bowen ha aparecido en *Oprah Show*, *The Today Show* y Fox News Channel, además de docenas de entrevistas en radio y prensa. *Un mundo sin quejas* ha sido traducido a doce idiomas.

WILL BOWEN

Un mundo sin quejas

Cómo dejar de quejarse y comenzar a disfrutar de la vida

DEBOLS!LLO

Un mundo sin quejas
Cómo dejar de quejarse y comenzar a disfrutar de la vida

Título original en inglés: *A Complaint Free World*

Primera edición en Debolsillo: abril, 2009
Primera reimpresión: septiembre, 2009
Segunda reimpresión: abril, 2014

D. R. © 2007, Will Bowen

Traducción: Marcela M. Mendoza

D. R. © 2014, derechos de edición mundiales en lengua castellana:
Penguin Random House Grupo Editorial, S.A. de C.V.
Blvd. Miguel de Cervantes Saavedra núm. 301, 1er piso,
Colonia Granada, delegación Miguel Hidalgo, C.P. 11520,
México, D.F.

Publicado bajo acuerdo con The Doubleday Broadway Publishing Group, una división de Random House, Inc.

www.doubleday.com

www.megustaleer.com.mx

Comentarios sobre la edición y el contenido de este libro a:
megustaleer@rhmx.com.mx

Queda rigurosamente prohibida, sin autorización escrita de los titulares del *copyright*, bajo las sanciones establecidas por las leyes, la reproducción total o parcial de esta obra por cualquier medio o procedimiento, comprendidos la reprografía, el tratamiento informático, así como la distribución de ejemplares de la misma mediante alquiler o préstamo públicos.

ISBN 978-607-429-310-4

Impreso en México / *Printed in Mexico*

A mi hija, Lia, a sus hijos que aún no nacen,
y a los hijos de sus hijos que a la postre
vivirán en un mundo más feliz y libre de quejas.

ÍNDICE

AGRADECIMIENTOS

Agradezco a la hermosa gente de La iglesia de la unidad cristiana *(Christ Church Unity)*, de la ciudad de Kansas, Missouri; a los voluntarios, donadores y a los que, con su apoyo, han hecho una realidad del movimiento Libre de quejas. Agradezco a mi esposa, Gail, por su amor incondicional y estímulo. Agradezco a mi madre, Lindy, a mi papá, Bill, a mis hermanos, Chuck y Dave, y a mi madrastra, Bobby, porque siempre creyeron en mí. Agradezco a Steve Hanselman del nivel cinco de comunicación, porque es un sabio consejero, guía y mentor. Agradezco a Alice Anderson por formar una vida de principios e integridad. Agradezco a Sallye Taylor, porque siempre ha creído en mí y me persuadió a dar mi mejor esfuerzo; a Terry Lund por sus plegarias. Agradezco a Yakov Smirnoff, Dan Murphy, Chris de Leon, Steve Hall, Adam Khan y Gary Hild su amistad que existe más allá del tiempo y la distancia. Mi reconocimiento a Steve Rubin, Bill Barry, Trace Murphy y a los increíbles empleados de *Doubleday*. Agradezco a Joe Jacobson por acompañarme siempre.

Y te agradezco a ti, querido lector, por aceptar nuevos paradigmas para tu vida y traer así una luz brillante a nuestro mundo.

Un mundo sin quejas

Reproducido con permiso del *Kansas City Star* © Copyright 2007 *The Kansas City Star*. Todos los derechos reservados. El formato difiere de su publicación original.

INTRODUCCIÓN

Si algo no te agrada, cámbialo.
Si no lo puedes cambiar, cambia tu actitud.
No te quejes.

MAYA ANGELOU

En tus manos tienes el secreto para transformar tu vida. ¿Palabras mayores? Sí, pero he visto que funciona para mucha, mucha gente. He leído sus correos electrónicos, sus cartas y he contestado sus llamadas. Las personas han adaptado el concepto de ponerse en la mano una pulsera de silicón color morado y empezar a cambiarla de una mano a otra hasta que logran cumplir 21 días consecutivos sin quejarse, criticar ni divulgar chismes. De esta manera, han formado un nuevo hábito. Al hacerse conscientes de lo que dicen y de este modo cambiar sus palabras, han cambiado su forma de pensar y han comenzado a desarrollar su vida con un propósito. Personas como tú han compartido conmigo sus historias terriblemente dolorosas que han aliviado, relaciones que han sanado, carreras que han mejorado y, en general, se han convertido en personas más felices.

TESTIMONIOS

Soy estudiante de segundo grado en la preparatoria del noroeste de Omaha, en Nebraska. Ayer tuvimos un "tiroteo" afuera de la escuela y unos compañeros y yo quisiéramos probar tu idea de los 21 días de no quejarse. Me pregunto si pudieras enviarme cinco pulseras.

ANÓNIMO

Un hombre que conozco padecía de dolores de cabeza crónicos. Cada noche llegaba a su casa después de trabajar y le decía a su esposa qué tanto le había dolido la cabeza durante el día. Dándose cuenta de que por comentarle a su esposa de sus dolores de cabeza no disminuía la frecuencia ni la severidad de éstos, decidió dejar de hacerlo como una manera de volverse una persona libre de quejas.

Su nombre es Tom Alyea. Ya no padece de esos dolores de cabeza y ahora es el coordinador a cargo del programa "Un mundo libre de quejas"; él es uno de las muchas docenas de voluntarios que han hecho de esto una realidad.

Menos dolor, mejor salud, relaciones satisfactorias, un mejor empleo, ser más sereno y alegre… ¿suena bien? No sólo es posible, sino probable. Conscientemente el esforzarte para reformatear tu disco duro mental no es cosa fácil, pero puedes empezar ahora mismo y en poco tiempo —tiempo que pasará de todos modos— podrás tener la vida que tú siempre soñaste.

Puedes pedir la pulsera morada "Libre de quejas" visitando nuestra página web: www.AComplaintFreeWorld.

org. Enviamos las pulseras sin cargo alguno (el programa es apoyado totalmente por donadores y si gustas puedes ser uno de ellos). A continuación explicamos cómo usar la pulsera:

1. Empieza por ponértela en cualquiera de las dos manos.
2. Cuando te des cuenta de que estás quejándote, divulgando chismes o criticando, cambia la pulsera a la otra mano y comienza de nuevo.
3. Si escuchas a alguien que usa la pulsera de color morado quejarse, está bien que le digas que debe cambiarse la pulsera a la otra mano; *pero* si lo vas a hacer, primero tú debes cambiarte la pulsera, porque estás quejándote de su queja.
4. Sigue intentándolo. Puede tomar muchos meses alcanzar 21 días consecutivos. El promedio es de cuatro a ocho meses.

Y relájate, pues sólo estamos hablando de quejas, críticas y chismorreos que son articulados. Si salen de tu boca, cuentan, así que empieza de nuevo. Si las piensas, no valen. Pero te vas a dar cuenta de que aún las quejas que piensas van a desaparecer conforme pases por este proceso.

Empieza ahora mismo. No tienes que esperar a que tu pulsera morada llegue para poder comenzar. Ponte una liga en tu mano, guarda una moneda o una pequeña piedra en tu bolsillo, mueve un pisapapeles de un lado a otro de tu escritorio o encuentra tu propia manera de monitorearte. Hazlo ya. Así, cuando te percates de que te estás quejando, criticando o chismorreando, mueve el objeto. Pasa la liga a la otra mano, cambia la moneda a otro bolsillo o mueve el pisapapeles al otro lado del escritorio. Es importante que muevas el objeto. Es el hecho de moverlo lo que abrirá surcos en tu conciencia, haciendo que seas consciente de tu comportamiento. Debes moverlo todas las veces.

¿Te diste cuenta de que hay una palabra muy importante en el párrafo anterior? Dije *cuando te percates de que te estás quejando*, no *si lo estás haciendo*. Quejarse es una epidemia en nuestro mundo, así que no te sorprendas cuando te des cuenta de que tú también te quejas mucho más de lo que pensabas.

En este libro aprenderás qué es lo que constituye una queja, por qué nos quejamos, qué beneficios creemos que obtenemos cuando nos quejamos, cómo el quejarse es destructivo para nuestra vida y cómo podemos conseguir que otras personas a nuestro alrededor dejen de quejarse. Aprenderás los pasos para erradicar de tu vida esta venenosa forma de expresión. Si los sigues encontrarás que no sólo ya no te vas a quejar, sino también que la gente a tu alrededor cesará de hacerlo también.

Hace poco estaba jugando racquetball con un amigo. Cuando nos detuvimos para descansar, me preguntó: "Entonces, ¿cuántas pulseras moradas 'Libre de quejas' has enviado?" "Cerca de 125 000", le respondí y entonces agregué: "Hasta ahora". Tomándose un momento para asimilarlo, tomó agua a sorbos y dijo: "125 000... eso es más que una buena parte de la población de una ciudad de los Estados Unidos". "Sí", le dije, tratando de asimilar la idea.

"Y ¿cuánto tiempo llevas en esto?" me volvió a preguntar. "Siete meses", contesté. "125 000 pulseras en siete meses", repitió, sacudiendo su cabeza incrédulo.

Acomodando sus muñequeras y volviéndose a acomodar los *goggles* para nuestra partida final del día, me preguntó: "¿Cuántas veces al día crees que la gente se queja?". "No lo sé", le dije. "Cuando al principio empecé a tratar de lograr 21 días consecutivos sin quejarme estuve removiendo mi propia pulsera morada casi 20 veces al día." Se puso en posición, indicándome que estaba listo para continuar el juego. Agarrando su raqueta y dándole unos cuantos balanceos para calentar su hombro, me dijo: "Haz la cuenta". Pensando si de alguna manera había calculado mal el puntaje de nuestro último juego, le pregunté: "¿Qué cuenta?"

"Si tomas 125 000 pulseras", dijo, "y multiplicas 20 veces las quejas por día, treinta veces de los días de cada mes, durante siete meses, tienes..., es... bueno, ¡es muchísimo! Sólo piensa cuántas quejas *no* se han dicho desde que todo esto comenzó". Me quedé parado un momento, meditando sobre esto, y después entré a la cancha de racquetball. Él también entró a la cancha y se acercó a la línea de servicio y lanzó uno de sus saques mortales. Mi mente estaba ocupada por su comentario. Abaniqué la pelota. No podía dejar de pensar en lo que mi amigo me había dicho, y de hecho él ganó el juego. ¿Cuántas quejas, críticas y chismes esta simple idea ha ayudado a prevenir?

Ciertamente, pareció tener impacto y la idea continuaba creciendo. El personal de la iglesia, en la que soy pastor, calculaba en 7 000 los pedidos de la pulsera morada "Libre de quejas" por semana. Habíamos enviado pulseras a 80 países en todo el mundo. La carpeta de correos que nuestro director de oficina ponía en mi escritorio cada semana había aumentado a un fajo de cartas de casi de 2.5 cm de grueso. Maestros de escuela me decían que al animar a sus estudiantes a que fueran conscientes de sus quejas había transformado los salones de clase. Iglesias de varias religiones estaban adoptando esta idea no solamente dando pulseras de este tipo, sino también impartiendo clases los miércoles por la noche de "Libre de quejas" y creando programas escolares sobre este tema para los domingos. Personas que estaban pasando por una traición amorosa, pobreza, una enfermedad muy grave, desempleo, o incluso problemas por desastres naturales, se estaban sumando al reto de borrar de su vida la costumbre de quejarse.

El movimiento había cobrado vida propia y era emocionante ser parte de él.

En el verano de 2006 decidí crear un "club de lectura" en nuestra iglesia. Invitábamos a todos a leer el mismo libro y a acudir a las clases y discusiones sobre el mismo.

Queriendo elegir un libro que de verdad tuviera impacto, investigamos primero qué era lo que nuestra gente necesitaba. El reto número uno al que la gente se enfrentaba parecía ser el dinero. Tanto parejas como solteros se acercaban a hablar conmigo de sus deudas, de su empleo poco seguro y de su abrumadora situación económica. Después de revisar muchos libros relacionados con el tema, seleccionamos *The Four Spiritual Laws of Prosperity* de Edwene Gaines. Su libro da consejos claros, concisos, poderosos y apreciables que uno puede seguir para vivir una vida de abundancia. Más de 100 personas compraron el libro y planeé un ciclo de cinco semanas, además de clases extras para que las personas profundizaran y compartieran sus preguntas, ideas y reflexiones.

A la segunda semana del ciclo estaba en mi oficina escribiendo mi lección cuando tuve un lapso de inspiración. Llamé a Marcia Dale, nuestra gerente de oficina.

Le expliqué mi idea. Ella escuchó pacientemente, después suspiró y dijo: "¿Otra baratija dominguera?" Marcia fingió exasperarse, pero la verdad es que le encanta cuando distribuimos pequeñas cháchara en clase y en misa. Hemos repartido imanes, separadores, portarretratos, plumas y otros objetos que ayudan y refuerzan lo que estamos aprendiendo. Las "baratijas", como Marcia las llama, sirven de recordatorio visual mucho después de que la lección se llevó a cabo.

"¿Para qué pulseras de hule?", me preguntó. Le expliqué que en el libro de Gaines, como en muchos otros, nos recuerdan que es más importante concentrarnos en lo que queremos en nuestra vida que poner nuestra atención en lo que no queremos. "Los pensamientos que tenemos en nuestra cabeza producen más de ese mismo tipo", dijo Marcia, repitiendo lo que había escuchado cientos de veces. "Exacto", exclamé. "Y quejarse es enfocarse en lo que no queremos. Es expresar lo que no queremos. Es hablar de lo que está mal, y en lo que concentramos nuestra atención se expande. Por eso es que deseamos ayudar a la gente a erradicar las quejas de su vida, y esto va a servir para reforzarlo."

"Explícame de nuevo cómo las pulseras de hule van a hacer esto", dijo Marcia con ambigüedad. "Les vamos a dar a todos una pulsera, ya sabes, como las de *Livestrong* distribuidas para recaudar dinero para la fundación de Lance Armstrong, pero de otro color", le dije. "Hace veinte años leí un libro que decía que un pollo necesita 21 días para salir del cascarón e, irónicamente, le toma a una persona 21 días realizar algo para que se convierta en hábito. Retaremos a todos a que usen la pulsera en cualquiera de las dos manos y traten de lograr que en 21 días consecutivos no expresen queja alguna. Si se percatan de que se están quejando, los retaremos a que en ese momento cambien de mano la pulsera y empiecen de nuevo."

"Ah... se oye difícil", observó Marcia. Buscando una mejor solución, Marcia preguntó: "Si se quejan, ¿pueden empezar de nuevo al día siguiente y tener un 'día libre' para quejarse todo lo que quieran?" "No", le dije, "cambian la pulsera de mano y empiezan de nuevo en ese instante. La idea es que nos demos cuenta del momento en que nos quejamos; de esta manera probablemente nos percatemos antes de quejarnos otra vez."

Nos quedamos en silencio por un momento. "¿Marcia?" pregunté, para asegurarme de que no se hubiera cortado la llamada. "Estoy aquí", contestó. "Me quedé pensando si la gente va a poder hacer esto... ¡Caray, me pregunto si yo soy capaz de poder hacer esto!" "Yo también", le respondí. "Vamos a intentarlo". "Está bien", contestó con arrepentimiento, "voy a llamar a un lugar donde hagan esas pulseras, haber qué puedo encontrar. "¿Algún color en particular?"

Me quedé pensando por un momento. "No... ¿tú qué piensas?" le pregunté. "¿Qué te parece morado?" me sugirió. "Es elegante y para algunas personas representa la transformación. Además ya hay pulseras amarillas, anaranjadas y rosas en todos lados, pero no moradas". "Se oye bien", le dije.

Marcia encontró una compañía que vendía pulseras moradas de hule con la palabra *espíritu* grabada y acordamos pedir 500, más del doble de las que necesitábamos —poco sabíamos al respecto en realidad. Cuando Marcia me dijo las características de las pulseras, le pregunté: "¿Por qué 'espíritu'?" "Creo que es porque representa el espíritu escolar. Las venden en todos los colores. Si el color de tu escuela es anaranjado, compras las pulseras 'espíritu' anaranjadas. Si tu color es el rojo, compras las rojas." "Ah, ¿entonces no podemos conseguir unas que digan algo así como 'no te quejes'?", dije. "Sí podemos", contestó, "pero por una orden de 500 el costo es muy elevado. Además, es sólo una chuchería que la gente va a guardar en un cajón en cuanto llegue a casa".

"¿Cómo les voy a explicar la palabra 'espíritu' de la pulsera?", pregunté en voz alta. "Diles que representa 'el espíritu del cambio'", me respondió Marcia, contestando por mí.

El domingo siguiente repartimos más o menos 250 pulseras, pero nuestra reserva de 500 se agotó justo después de misa porque la gente las quería para llevarlas a sus oficinas, clases, regalárselas a sus amigos, equipos y los grupos sociales que frecuentaban. Ese día, además de explicar en qué consistía el reto, invité a cada uno a imaginar cómo sería su vida sin la "contaminación auditiva" que producían sus quejas. Pude sentir una mezcla de emoción y temor en la habitación. Les dije que yo mismo aceptaba el reto y que, sin importar cuánto tiempo me tomara, iba a lograr los 21 días consecutivos sin quejarme. "21 días de corrido", puntualicé, "sin quejarme, ni criticar o chismorrear". "Háganlo conmigo. No importa si se toman tres meses o tres años", les dije, "su vida va a mejorar enormemente. Si su pulsera se rompe por cambiarla de una mano a otra, les daremos otra. Sólo síganlo intentando".

Quejarse es hablar de las cosas que no te gustan más que de las que sí te gustan. Cuando nos quejamos usamos nuestras palabras para enfocar cosas que no son como quisiéramos. Nuestros pensamientos crean nuestra vida y nuestras palabras indican lo que estamos pensando. Permíteme repetirlo, porque si no obtienes nada de este libro, por favor deja que al menos esto sí se te quede: *nuestros pensamientos crean nuestra vida y nuestras palabras indican lo que estamos pensando.*

Poniéndolo de otro modo: "¡Lo que articulas, lo demuestras!"

Estamos, todos, creando nuestra vida en todo momento. El truco está en que de verdad tomemos las riendas y dirijamos el caballo a dónde en realidad queremos que vaya, no a donde no queremos. Tu vida es una película escrita, producida, dirigida y protagonizada —adivina por quién— ¡por *ti*! Todos nos autorrealizamos. Cuando se pregunta sobre "la realización de los millonarios", Earl Nightingale, el maestro y filósofo del siglo XX, en broma dijo: "Todos nos autorrealizamos, pero sólo los exitosos lo admiten".

Estás creando tu vida a cada momento con los pensamientos a los que les das más atención. Hoy, la gente está reaccionando a esto, como nunca antes, y suenan las campanas del cambio por la conciencia de nuestro mundo. Nuestras mentes colectivas están empezando a captar que nuestra vida, nuestra sociedad, nuestra situación política, nuestra salud e incluso la situación de nuestro mundo son una muestra de los pensamientos que tenemos y las acciones que éstos producen.

Esta idea no es nueva. Parece alcanzar a una masa crítica en nuestro entendimiento universal actual, pero muchos grandes filósofos y maestros nos la han dicho por siglos:

Tal como ha sido tu fe, así suceda contigo.

JESÚS, MATEO 8:13

El universo es cambio, nuestra vida es lo que nuestros pensamientos hacen.

MARCO AURELIO

Estamos moldeados por nuestros pensamientos; llegamos a ser lo que pensamos.

BUDA

Cambia tus pensamientos y cambiarás tu mundo.

NORMAN VINCENT PEALE

Hoy estás donde tus pensamientos te han traído; mañana estarás donde tus pensamientos te lleven.

JAMES ALLEN

Nos convertimos en lo que pensamos.

EARL NIGHTINGALE

El posible escenario más alto en la educación moral es cuando reconocemos que debemos controlar nuestros pensamientos.

CHARLES DARWIN

¿Por qué somos amos de nuestro destino, capitanes de nuestras almas? Porque tenemos el poder de controlar nuestros pensamientos.

ALFRED A. MONTAPERT

Nuestras palabras indican lo que estamos pensando y nuestros pensamientos crean nuestra vida. La gente cae en un continuo estado de ser positivo o de ser negativo. En mi experiencia, nunca he conocido a nadie que piense que es una persona negativa. No he conocido todavía a nadie que en realidad se dé cuenta de cuándo sus pensamientos son más destructivos que constructivos. Sus palabras pueden revelar esto a los demás, pero ellos no lo notan. Pueden quejarse constantemente —yo era uno de ellos—, pero la mayoría de la gente, me incluyo, pensamos que somos positivos, alegres, optimistas y seguros de nosotros mismos.

Es vital que controlemos nuestra mente para poner en orden nuestra vida. Las pulseras moradas "Libre de quejas" nos ayudan a darnos cuenta exactamente de cuándo estamos en un constante estado de expresión negativa o positiva. Y después, cuando pasamos por la repetida práctica de mover la pulsera de una mano a otra, una y otra y otra vez, verdaderamente empezamos a notar nuestras palabras. Y al hacerlo, empezamos a darnos cuenta de nuestros pensamientos. Cuando conocemos nuestros pensamientos podemos cambiar y, finalmente, reformar nuestra vida como queramos. Las pulseras moradas nos ayudan a colocar una trampa a nuestros pensamientos negativos y atraparlos y entonces dejarlos que se escapen para que nunca más regresen.

Ese domingo de julio de 2006, después de entregar las primeras pulseras moradas "Libre de quejas" a mis feligreses y de invitarlos a comprometerse a intentar los 21 días consecutivos sin quejarse, les compartí una historia:

"Cuando era niño solía pararme frente a un lago y tirar piedras tan lejos como podía. Después de que salpicaba el agua, veía la reacción del impacto que viajaba en ondas en todas direcciones hasta que alcanzaba las orillas de la caleta. Juntos podemos crear una reacción; justo aquí, en este instante, en esta pequeña comunidad, podemos empezar algo que puede tocar y transformar el mundo".

La indecisa energía de mis feligreses empezó a convertirse en entusiasmo.

"Vamos a dar estas pulseras gratis a quien las pida", les dije. "¡Juntos, haremos de la ciudad de Kansas, Missouri, la primera ciudad 'Libre de quejas' de los Estados Unidos!" Y agregué: "Considerando la manera como están jugado béisbol los *Royals* este año, nos espera un largo camino por delante".

La habitación quedó en silencio. Dándome cuenta de mi queja, cambié por primera vez mi pulsera de mano —sin duda no sería la última vez.

Las personas de nuestra comunidad empezaron a tener noticia de las pulseras moradas. Ordenamos otras 500 y ya habían sido prometidas antes de que llegaran. Pensamos en ordenar otras mil; sin embargo, nos preguntamos qué íbamos a hacer con las que sobraran. Las pedimos y, antes de que llegaran, ya estaban también apartadas. La llovizna se convirtió en lluvia, la lluvia en chubasco y el chubasco en diluvio.

Sintiendo que algo importante se estaba desarrollando llamé al periódico *The Kansas City Star* para preguntar quién, en el periódico, se interesaría en una historia como ésta. Me mandaron con Helen Gray, así que le envié un correo electrónico explicando lo que estaba ocurriendo.

Conforme enviábamos las pulseras me di cuenta de qué tan difícil podía ser esta transformación. El primer día mis manos se cansaron por cambiarme la pulsera de una mano a otra. Me di cuenta de que me quejaba todo el tiempo. Quise rendirme, pero todos en la iglesia me estaban observando. Después de la primera semana, mi marca personal era de cambiarme la pulsera sólo cinco veces al día. Al día siguiente sufrí un retroceso a doce veces, pero persistí. Nunca pensé que yo fuera una persona que se quejara, pero me di cuenta de que así era. Mientras luchaba por no quejarme, ni criticar ni divulgar chismes, me sentí desalentado al mismo tiempo que alegre de que no hubiera recibido respuesta de la sra. Gray del diario *The Star*. Aunque pensaba que la idea de no quejarse era buena, ciertamente no sentía que personalmente fuera exitoso en el experimento y no quería tener que contárselo a un periodista: "Sí, soy el pastor que incitó a mi comunidad a hacer esto". Y "¿Yo? Pues, después de dos semanas de tratar realmente de no quejarme, lo he logrado hacer casi seis horas seguidas".

Seguí intentándolo. Finalmente, después de casi un mes, logré llegar a tres días consecutivos. Cada domingo, mis feligreses se fijaban en qué mano se encontraba la pulsera. Pude ver que algunos se habían quitado la pulsera. Pero muchos seguían intentándolo. Esto me alentó sobremanera. Finalmente, apunté la meta de llegar a los 21 días consecutivos libre de quejas para el día 30 de septiembre. Leía esta meta tres veces en la mañana y tres veces en la noche. Poco a poco empecé a progresar.

Me di cuenta de que podía estar muy bien con algunas personas pero no con otras. Con tristeza me percaté de que mi relación con algunas personas que consideraba buenos amigos se centraba en expresar nuestra insatisfacción acerca de cualquier cosa de la que habláramos. Comencé a evitarlos. Al principio me sentí culpable, pero noté que no había movido mi pulsera. Más importante aún: me di cuenta de que me sentía más feliz.

Después de un mes, la sra. Gray del diario *The Kansas City Star* respondió mi correo diciendo que había estado de vacaciones. Dijo que la idea le parecía muy intrigante y quería escribir un reportaje sobre nuestras pulseras "Libre de quejas". Mientras se preparaba el reportaje, finalmente completé mis 21 días sin emitir queja alguna. Cuando su primer reportaje se publicó, yo era la única persona que había alcanzado la meta.

Una vez más confirmé con el Consejo de la iglesia que daríamos pulseras gratis a quienes las solicitaran. "Podemos ayudar a acrecentar la conciencia de nuestro mundo"; todos estuvimos de acuerdo. No nos imaginábamos que otros periódicos tomarían la historia del *The Kansas City Star*. En pocas semanas habíamos recibido peticiones de casi 9 000 pulseras moradas. Compramos todas las pulseras que nuestro proveedor tenía y ordenamos más. Voluntarios se ofrecieron para automatizar nuestra página web para que las personas pudieran pedir su pulsera directamente. Conseguimos la dirección del sitio web TheComplaintFreeChurch.org y otros periódicos hicieron reportajes, y luego algunos canales de televisión.

La idea se estaba expandiendo más allá de nuestra iglesia en la ciudad de Kansas. Una diócesis católica pidió 2 000 pulseras moradas para cada una de sus iglesias y escuelas. Empezaron a llegar pedidos de Australia, Bélgica y Sudáfrica. Esto se estaba convirtiendo en un verdadero fenómeno mundial. Sintiendo que nuestra idea de la "reacción en el lago" se iba a concretar alrededor del planeta, adquirimos la dirección del sitio web: AComplaintFreWorld.org.

Oportunamente creamos un equipo de entrada de datos, un equipo de cumplimiento, un equipo de provisiones y un equipo de envíos, todos formados por voluntarios.

Después de más de 100 artículos de periódico, *The Today Show*, y un lanzamiento a nivel nacional en *The Oprah Winfrey Show*, ¡nuestro movimiento es ahora millones de veces más fuerte y crece rápidamente alrededor del mundo! Cuando me entrevistó una productora asociada de *The Oprah Winfrey Show* me preguntó cuál era mi meta para esta campaña. "El transformar la conciencia de nuestro mundo", le contesté.

Me miró y sonrió con simpatía. "Ése es un sueño muy grande, ¿no lo cree?" Le sonreí también y le contesté: "Haga la cuenta".

Mientras escribo esto hemos recibido cerca de 6 millones de peticiones de pulseras moradas de personas de más de 80 países y estamos recibiendo pedidos por 1 000 pulseras al día aproximadamente. A las personas les toma de cuatro a ocho meses en promedio alcanzar la meta de los 21 días sin quejarse. Multiplica el número de pulseras por el número de veces que la mayoría de la gente se queja y verás que el mundo está despertando a una nueva conciencia.

¿Cuántas quejas no se han disipado como resultado de esta simple idea? ¿Qué tanto más positivo es ahora el ambiente en casas, escuelas, lugares de trabajo, iglesias, equipos deportivos, hospitales, prisiones, estaciones de policías, estaciones de bomberos, clínicas, el ejército, agencias gubernamentales, en comparación con hace tan sólo unos meses? En cada esquina de nuestro mundo hay personas dentro de todos estos grupos que están usando la pulsera morada y que se esfuerzan asiduamente por formular sus palabras sólo de manera positiva.

¿Transformar al mundo? Está ocurriendo.

Hay dos cosas sobre las cuales la mayoría de la gente estará de acuerdo:

1. Hay muchas quejas en el mundo.
2. El estado en que está nuestro mundo no es el que quisiéramos.

En mi opinión, hay una correlación entre estas dos cosas. Nos enfocamos más en lo que está mal que en nuestra visión de un mundo saludable, feliz y armonioso. Y ahora tú ya eres parte de esto. No es accidental que tú hayas tomado este libro. Has contestado a la llamada de tu alma para dejar de ser parte del problema y formar parte de la solución. Tú puedes cambiar el mundo con el simple hecho de ser ejemplo de un cambio positivo. Tú puedes mantener la llama para un futuro más brillante para nuestros niños con sólo tomar este reto y seguir intentándolo; sin embargo, te va a llevar tiempo para que lo logres. Tú puedes ser una célula sanadora en el cuerpo de la humanidad.

El otro día estuve en el juego de los *Royals* de *Kansas City* y había un grupo de fanáticos tratando animosamente de hacer una "ola" en el circuito del estadio. La ola empezaba con gran entusiasmo, la gente se paraba de un salto, alzando los brazos, y sacaban un gran "¡Ehhh!", continuaba alrededor del campo de juego pero empezaba a decaer en cierta sección. Los fanáticos en esa sección, por alguna razón, no estaban comprometidos con la "ola", la paraban y la ola moría.

Esta "ola" de la transformación de la conciencia humana te ha sido traspasada. Puedes mantenerla en movimiento. Puedes ayudar a crear un mundo libre de quejas. Hazlo por aquellos que te rodean. Hazlo por tu país. Hazlo porque es un paso muy poderoso hacia la paz mundial. Hazlo por tus hijos y los hijos de tus hijos. Pero más que nada, hazlo por ti.

"¿Hacerlo por mí? ¿No es eso egoísta?" No. No tiene nada de malo hacer algo que te beneficiará. En cuanto seas una persona más feliz, incrementarás en general el grado de felicidad en el mundo. Transmitirás una "vibra" de optimismo y esperanza que resonará con otros que tienen las mismas intenciones. Vas a crear una red de expectativas de un futuro más brillante para todos.

La antropóloga Margaret Mead en alguna ocasión escribió que "nunca debemos dudar de que un grupo pequeño de ciudadanos, considerados y comprometidos, pueda cambiar el mundo. Incluso es la única cosa que pueden hacer".

La reacción continúa.

Ah y P. D.: ¡Marcia lo logró!

PRIMERA PARTE

Incompetencia inconsciente

CAPÍTULO 1

Me quejo, después existo

El hombre inventó el lenguaje para satisfacer
su profunda necesidad de quejarse.

LILY TOMLIN

Quejarse (verbo) 1: expresar pena, dolor
o descontento: "quejarse del tiempo"; 2: hacer
una acusación o cargo formal.

THE MERRIAM-WEBSTER DICTIONARY

Hay cuatro etapas para llegar a ser competente en cualquier cosa. Y para llegar a ser una persona "libre de quejas" tendrás que pasar por cada una de éstas y, disculpa, pero no puedes saltarte ninguna. No puedes brincártelas y esperar un buen resultado. Algunas etapas duran más que otras. La experiencia con las etapas varía en cada persona. Podrás pasar unas con mucha facilidad, pero en la siguiente podrás quedarte atorado por un largo tiempo, pero si persistes vas a dominar esta habilidad.

TESTIMONIOS

Como muchos otros compañeros que tomaron el reto "Libre de quejas", rápidamente descubrí exactamente cuántas de las palabras que pronunciaba en conversaciones cotidianas eran quejas. Por primera vez me escuché, de verdad, cuando me desahogué acerca de mi trabajo, cuando me quejé sobre mis padecimientos y dolores, me lamentaba de las cuestiones políticas y del mundo y me quejaba del clima. ¡Qué impacto me llevé cuando me di cuenta de cuántas de mis palabras tenían una energía negativa. Y yo que me consideraba una persona muy positiva!

MARTY POINTER, KANSAS, MISSOURI

Las cuatro etapas del reto son:

1. Incompetencia inconsciente
2. Incompetencia consciente
3. Competencia consciente
4. Competencia inconsciente

En *Oda a un paisaje lejano de Eton Collage,* Thomas Gray nos dice: "la ignorancia es dicha". Conforme te conviertas en una persona libre de quejas, te iniciarás en la dicha de la ignorancia, pasarás por la confusión de la transformación y llegarás a una verdadera dicha. Ahora mismo, tú estás en la etapa de la incompetencia inconsciente. Ignoras que eres incompetente. No te das cuenta (desconoces) de cuánto te quejas (eres incompetente).

La incompetencia inconsciente es un estado de ser y un paso de la competencia. Es aquí donde todos empezamos. En la incompetencia inconsciente tienes mucho potencial, listo para crear grandes cosas para ti. Hay nuevos panoramas excitantes listos para ser explorados. Lo único que debes tener es voluntad para obligarte a seguir las etapas restantes.

Muchas personas buscan el negrito en el arroz. Si lo buscas, lo encuentras. Si te quejas, tendrás más de qué quejarte. Es la ley de la atracción la que está en acción. Conforme vayas completando estas etapas, dejando atrás el quejarte y ya no busques el negrito en el arroz, tu vida se abrirá como una hermosa flor en primavera.

Una de las preguntas que, por lo regular, me hacen es: "¿¡No podré quejarme nunca jamás!?" A lo que contesto: "Claro que puedes". Y lo digo por dos razones:

1. No soy quién para decirte a ti o a alguien más qué hacer o qué no. Si lo fuera, estaría tratando de cambiarte y eso significaría que me estoy centrando en algo de ti que a mí no me gusta. Estaría expresando descontento acerca de ti y, por lo tanto, me estaría quejando. Así que puedes hacer lo que quieras. Es tu decisión.
2. Algunas veces tiene sentido quejarse.

Ahora bien, antes de que te sientas que ya encontraste una justificación en el número 2 mencionado, ten en cuenta la frase "algunas veces" y recuerda que mucha, mucha gente y yo hemos pasado por tres semanas consecutivas —los 21 días o 504 horas de corrido— sin quejarnos en absoluto.

Ninguna queja, cero. ¡Nada! Cuando se trata de quejarse, "algunas veces" significa "no tan seguido". Quejarse debería ocurrir esporádicamente; criticar y chismorrear, nunca. Si somos honestos con nosotros mismos, los acontecimientos de la vida que nos llevan a quejarnos (pena, dolor o descontento) muy rara vez ocurrirán. La mayor parte de nuestras quejas son puras banalidades que perjudican nuestra felicidad y nuestro bienestar.

Date un vistazo. Cuando te quejas (expresas pesar, dolor o descontento), ¿acaso la causa es grave? ¿Te quejas con frecuencia? ¿Ha pasado más de un mes desde la última vez que te quejaste? Si te quejas más de una vez al mes acabarás por ceder a las habituales quejas, lo cual no te sirve. Tú eres uno de esos que buscan el negrito en el arroz.

Para ser una persona feliz que domina sus pensamientos y que ha empezado a crear su vida con un propósito, necesitas un alto, pero muy alto umbral de lo que te lleva a expresar pesar, dolor y descontento. La próxima vez que estés a punto de quejarte de cualquier cosa, pregúntate si se parece a otra situación que te haya sucedido hace algunos años.

Estaba en mi oficina preparando la clase. La casa en donde vivíamos en ese tiempo se encontraba en una curva pronunciada del camino. Los conductores tenían que reducir la velocidad para dar vuelta y aproximadamente a 183 metros pasando nuestra casa terminaban los límites de la ciudad y comenzaba la carretera y la velocidad límite cambiaba de 40 km/h a 90 km/h. Entonces, vivíamos en una calle de acelere y desacelere. Si no fuera por la curva del camino, nuestra casa hubiera estado en un sitio muy peligroso.

Era una tarde calurosa de primavera y las cortinas de encaje se agitaban suavemente con la brisa que entraba por las ventanas abiertas. De pronto escuché un ruido extraño. Un ruido sordo y fuerte, seguido de un chillido. No era de un humano, pero sí de un animal. Todos los animales, así como las personas, tienen una voz única y yo conocía bien esa voz. Era la de nuestra perra labrador *golden retriever*, Ginger. Normalmente no pensamos que los perros chillen. Ladrar, aullar, gemir, sí; pero escuchar a un perro chillar es algo raro. Pero era lo que Ginger estaba haciendo. Había sido atropellada y yacía en el camino temblando de miedo a no más de seis metros de mi ventana. Grité y corrí a través de la sala hasta salir por la puerta principal, seguido de mi esposa, Gail, y mi hija, Lia, que tenía seis años en ese entonces.

Conforme nos acercamos a Ginger, pudimos intuir que estaba gravemente herida. Intentaba pararse con sus patas delanteras, pero sus patas traseras parecían no responderle y aullaba de dolor. Los vecinos salieron de sus casas para ver qué era lo que estaba provocando tal conmoción. Lia sólo seguía diciendo su nombre: "Ginger... Ginger...", mientras le escurrían las lágrimas por sus mejillas y mojaban su playera.

Busqué al conductor que había atropellado a Ginger, pero no vi a ninguno. Entonces miré hacia arriba de la colina que marcaba la línea divisoria entre el camino de la ciudad y la carretera del condado, y vi un trailer subiendo la colina acelerando a más de 90km/h. Aun cuando nuestra perra yacía ahí en agonía, mi esposa paralizada por la impresión y mi hija llorando desconsolada, yo estaba decidido a enfrentar a la persona que había atropellado a Ginger.

"¡¿Cómo puede alguien hacer esto y largarse así nada más?!" pensé. "Estaba casi dando la vuelta… seguro la vio, ¡sabía muy bien lo que pasaría!"

Dejando a mi familia en medio del dolor y la confusión, subí precipitadamente al auto y me puse en marcha, dejando una columna de polvo y grava: 96, 120, 133 kilómetros por hora a lo largo del camino de grava y polvo persiguiendo a la persona que había atropellado a la mascota de Lia y huido sin darnos la cara. Iba tan rápido en un camino tan irregular que empecé a sentir que el auto iba flotando ligeramente sobre el asfalto. En ese momento me calme, pues me di cuenta que si me mataba conduciendo sería mucho más doloroso para Gail y Lia que lo que le había pasado a Ginger. Bajé la velocidad lo suficiente para controlar mi auto mientras la distancia entre el otro conductor y yo se acortaba.

Aun sin darse cuenta de que lo perseguía, el hombre salió del trailer con una camisa rota y unos pantalones de mezclilla con aceite. Metiéndome en su carril derrapé detrás de él y salí del auto, gritando: "¡Usted atropelló a mi perra!" El hombre volteó y me miró como si le hubiera hablado en otro idioma. Con la sangre hirviéndome en las orejas, no estaba seguro si había escuchado bien cuando dijo: "Ya sé que atropellé a tu perra… y ¿qué vas a hacer al respecto?" Después de asimilar sus palabras, le grité: "¡¿Qué?! ¡¿Qué dijiste?!" Sonrió como si estuviera corrigiendo a un niño que se había equivocado y luego volvió a decir, lenta y deliberadamente: "Sé que atropellé a tu perra… ¿Qué vas a hacer al respecto?"

Estaba ciego de rabia. En mi mente seguía viendo a Lia en mi espejo retrovisor cuidando a Ginger y llorando. "Ponte en guardia", le grité. "¿Qué?", preguntó. "Ponte en guardia", le volví a decir. "¡Defiéndete… te voy a romper la cara, te voy a matar!"

Momentos antes, la razón me había salvado de matarme en el auto en un arranque de furia por alcanzar a ese tipo. Y ahora su comentario despectivo y displicente acerca de haber lastimado gravemente a una mascota que yo tanto quería había desvanecido toda cordura. Siendo adulto nunca antes me había peleado a golpes. No creía en las peleas. No estaba seguro de cómo pelear, pero quería pegarle a ese hombre hasta matarlo. En ese momento no me importó terminar en prisión.

"No voy a pelear con usted", me dijo. "Y si me golpea, va a ser una agresión, señor." Alcé mis brazos y endurecí los puños como diamantes, me quedé ahí parado, atónito. "¡Pelea!", le dije. "No, señor", me dijo, sonriendo a través de los dientes que le quedaban, "no voy a hacer tal cosa". Se dio la media vuelta y se fue lentamente. Me quedé ahí parado, temblando con la rabia envenenando mis venas.

No recuerdo que haya conducido de regreso a casa con mi familia. No recuerdo haber llevado a Ginger al veterinario. Lo que sí recuerdo es el olor que desprendía cuando la cargué por última vez y cómo gimió débilmente cuando la inyección del veterinario puso fin a su sufrimiento. "¿Cómo es posible que haya gente así?", me preguntaba constantemente.

Días después, la sonrisa del hombre aún me perseguía cuando trataba de conciliar el sueño. Su "¿qué piensa hacer al respecto?" rezumbaba en mis oídos. Imaginaba lo que le hubiera hecho si hubiéramos peleado. En mis visiones era un superhéroe que destruía a un villano malvado. Algunas veces imaginaba que tenía un bate de béisbol u otra arma y lo lastimaba tanto como él me había lastimado a mí, a mi esposa, a mi hija y a Ginger.

En la tercera noche de vanos intentos por dormir, me levanté y empecé a escribir en mi diario. Después de desahogar mi pesar, mi dolor y mi descontento por casi una hora escribí algo sorprendente: "Aquellos que son lastimados lastiman". Asimilando mis palabras como si fueran de alguien más, me pregunté en voz alta: "¿Qué?" Lo volví a escribir: "Aquellos que son lastimados lastiman". Me recosté en el respaldo de la silla y estuve dándole vueltas al asunto, escuchando el piar primaveral y los grillos celebrando la noche. "¿Aquellos que son lastimados lastiman?" ¿Cómo podría aplicarlo a ese tipo?

Conforme pensaba en ello, empecé a entender. Un hombre que fácilmente puede lastimar a una mascota tan querida por una familia seguramente ignora el amor de la compañía de un animal, lo que nosotros no. Un hombre que puede alejarse en un vehículo mientras una niña rompe a llorar seguramente ignora el amor de una pequeña niña. Un hombre que no puede disculparse por haber apuñalado el corazón de una familia debió de haber sido apuñalado en su corazón muchas veces. Ese hombre era la víctima real de la historia. Es cierto que actuó como un villano, pero fue el resultado de un profundo dolor que yacía en él.

Estuve sentado por un buen rato, dejándome llevar por todo esto. Cada vez que empezaba a sentirme enojado con él por el dolor que nos causó pensaba en el dolor que ese hombre debía sufrir día tras día. En breve, apagué la luz, regresé a la cama y dormí profundamente.

Quejarse: expresar pesar, dolor o descontento.

Durante esta experiencia, sentí pesar. Ginger había aparecido hace cinco años en nuestra casa en la provincia de Carolina del Sur. Muchos perros habían llegado a casa con la intención de quedarse, pero Gibson, nuestro otro perro, siempre los corría. Por alguna razón, dejó que Ginger se quedara. Había algo especial en ella. Suponíamos por su conducta que antes de estar con nosotros había sido maltratada. Y, sobre todo porque me rehuía, era probable que un hombre la hubiera maltratado. Después de un año, empezó poco a poco a confiar en mí. Y en los años siguientes se volvió una verdadera amiga. Me dolió su muerte profundamente.

En verdad me dolió, fue un dolor emocionalmente devastador. Todos los que tenemos hijos sabemos que aguantamos cualquier dolor con tal de que nuestros hijos no lo sufran. Y el dolor por el que mi hija Lia pasó fue doble para mí.

Me sentí muy descontento. Me sentí destrozado por no haberle dado una paliza al tipo y porque al principio consideré actuar violentamente. Me sentí avergonzado por haberlo dejado ir, pero también por haber salido tras él.

Pesar. Dolor. Descontento.

Haber sentido y expresado estos sentimientos, después de que aquel hombre atropellara a Ginger, fue bueno. Puede que tú también hayas pasado por una situación igual de difícil en algún momento de tu vida. Afortunadamente, tales eventos traumáticos pasan rara vez. Del mismo modo, el quejarse (el expresar pesar, dolor o descontento) deberían pasar rara vez.

Pero para la mayoría de nosotros, nuestras quejas no son causadas por tales experiencias que duelen profundamente. Por el contrario, somos el personaje de la canción *Life's Been Good* de Joe Walsh —no debemos quejarnos; sin embargo, algunas veces lo hacemos. Las cosas no están del todo mal para ameritar el expresar pesar, dolor o descontento, pero el quejarnos es nuestra manera de liberarnos. Eso es lo que hacemos.

La ignorancia es una dicha. Antes de que comenzaras el camino para convertirte en una persona libre de quejas, probablemente eras feliz en la ignorancia en cuanto a la cantidad de tus quejas y del efecto perjudicial que producían éstas en tu vida. Muchos de nosotros lo que hacemos docenas de veces, una y otra vez, es quejarnos del clima, de nuestra esposa(o), de nuestras labores, de nuestro cuerpo, de nuestros amigos, de nuestro empleo, de la economía, de otros automovilistas, de nuestro país o de cualquier otra cosa. Sin embargo, pocos nos damos cuenta de ello.

Las palabras salen de nuestra boca por lo que nuestros oídos las escuchan. Pero, por alguna razón, éstos no las registran como quejas. Las quejas pueden asemejarse al mal aliento. Las notamos cuando salen de la boca de otra persona, pero no cuando salen de la nuestra.

A lo mejor te quejas mucho más de lo que crees. Y ahora que has aceptado el reto de los 21 días para convertirte en una persona "Libre de quejas", has comenzado a notarlo. Empieza a cambiar la pulsera de una mano a otra y te darás cuenta de cuánto es tu *kvetch* ("quejarse" en yidish. No es que sea judío, simplemente me gusta mucho la palabra).

Hasta este punto probablemente hayas dicho, honestamente, que tú no te quejas o, al menos, no mucho. Seguramente has de pensar que te quejas sólo cuando algo verdaderamente te molesta. La próxima vez que estés tentado a justificar tus quejas, recuerda la historia de Ginger y pregúntate si lo que te acontece es tan malo. Después decídete a mantener tu promesa de no quejarte.

Todos los que han sido campeones de los 21 días libres de quejas me han dicho: "No fue fácil, pero valió la pena". Lo valioso nunca es fácil. ¿Simple? Sí, pero "fácil" no está en el camino del éxito. Digo esto no para asustarte, sino para inspirarte. Si ves que es difícil convertirte en una persona "Libre de quejas" (monitoreando y cambiando tus palabras), no significa que no puedas. Y no significa que hay algo mal en ti. M. H. Alderson dijo: "Si lo intentas y no tienes éxito, de entrada ya estás por encima de la media". Si te quejas estás justo donde debes estar. Ahora que empiezas a ser consciente de ello, puedes empezar a eliminarlo de tu vida.

Puedes hacer esto. Yo me quejaba docenas de veces al día y lo logré. La clave está en no rendirse. Hay una maravillosa mujer en mi iglesia que hasta la fecha sigue usando una de las pulseras que dimos al principio. La de ella ya está muy desgastada y grisácea, pero hace poco me dijo: "Podrán enterrarme con esta cosa, pero no me voy a rendir".

Ése es el nivel de compromiso que conlleva. La buena noticia es que, incluso antes de que llegues a los 21 días consecutivos sin quejarte, te darás cuenta de que tu manera de ver las cosas habrá cambiado y serás más feliz. El siguiente es un correo electrónico que recibí hoy:

> Hola:
> Como miles, ya comencé a cambiar mi percepción de las cosas. En lo que llegaba mi pulsera, usé una liga en mi mano. Esto me ha hecho darme cuenta de lo que estoy haciendo. Empecé hace más o menos una semana, y ahora casi no me quejo. ¡Lo interesante de esto es lo más feliz que me siento! Sin mencionar cuan felices deben de estar los que me rodean (¡como mi marido!). Había querido trabajar en mis quejas desde hace tiempo y la campaña de la pulsera ha sido el ímpetu para cambiar mi comportamiento.
>
> Las pulseras y la misión que hay detrás de ellas ha sido tema de *muchas* conversaciones, por lo que la misión ha provocado una *enorme* reacción en cadena, en la cual por lo menos la gente está reflexionando sobre qué tan seguido se quejan y con suerte deciden cambiar su comportamiento. Este movimiento puede tener un efecto a gran escala conforme más y más gente conozca la idea. ¡El alcance de esta misión es mucho mayor que el número de aquellas personas que tienen ya pulseras! ¡Es impresionante pensar en ello!
>
> Jeanne Reilly
> Rockville, Maryland

El admirado comentarista de radio Paul Harvey una vez dijo: "Espero que un día logre suficiente de lo que el mundo llama éxito para que, si alguien me pregunta cómo le hice, pueda decirles: 'me levanté más veces de las que caí'". Como ocurre con todas las cosas que valen la pena, debes fracasar a lo largo del camino al éxito. Si eres como la mayoría que comienza este proceso, probablemente vas a cambiar tu pulsera de una mano a la otra hasta que te sientas adolorido y cansado de hacerlo. Yo cambié la pulsera tantas veces que rompí tres antes de lograr completar los 21 días consecutivos sin quejarme. En caso de que tu pulsera se rompa visita nuestra página web, www.AComplainFreeWorld.org y pide otra.

Pero si continúas intentándolo, un día vas a estar acostado, a punto de dormir y mirarás tu mano. En ese momento, por primera vez en días, meses, inclusive años, verás que tu pulsera morada está en la misma mano en la que estaba cuando te levantaste esa mañana. Y pensarás: "a lo mejor en algún momento me quejé y no me di cuenta". Pero a medida que hagas un inventario mental, te vas a dar cuenta de que lo lograste. ¡De hecho, habrás logrado no quejarte por todo un día! Día a día. Puedes hacerlo.

A medida que inicies esta transformación serás afortunado porque, pese a mis advertencias sobre las dificultades que te esperan, tienes una ventaja psicológica trabajando para ti. Se llama el efecto *Dunning-Kruger*. Cuando una persona prueba algo nuevo, ya sea esquiar en nieve, hacer malabarismos, tocar la flauta, montar a caballo, hacer meditación, escribir un libro, pintar un cuadro u otra cosa, es parte de la naturaleza humana pensar que será fácil dominarlo. El efecto *Dunning-Kruger* se llama así por Justin Kruger y David Dunning de la Universidad de Cornell. Ellos hicieron estudios en personas que intentaban aprender nuevas habilidades. Sus resultados, publicados en el *Journal of Personality and Social Psychology* (revista de psicología social y de la personalidad) en diciembre de 1999, plantean que "la ignorancia frecuentemente proporciona más confianza que el conocimiento". En otras palabras, no sabes que el hacer algo es difícil, así que lo intentas. Piensas: "esto va a ser fácil", así que empiezas, y empezar es la parte más difícil.

Sin tomar en cuenta el efecto *Dunning-Kruger,* si supiéramos la carga de esfuerzo que nos tomaría volvernos competentes para obtener una nueva habilidad, seguramente nos daríamos por vencidos antes de empezar. Mi esposa Gail lo resume bien. Cuando le preguntaba "¿Cuál es la mejor manera de aprender a montar a caballo?", siempre respondía: "Tiempo en la montura... tiempo en la montura".

Tiempo en la montura. Usar la pulsera morada (o liga, o una moneda en tu bolsillo, u otra cosa que te ayude a monitorearte) y cambiarla de mano. Cambiarla cada vez que te quejes. Cambiarla aunque sea duro, vergonzoso o frustrante. Cambiarla aunque ya hayas logrado diez días consecutivos. Empezar una y otra vez. Seguir intentándolo aun cuando los que te rodean se hayan rendido. Seguir intentándolo aunque otros a tu alrededor lo hayan logrado y tu mejor récord haya sido de dos días. Seguir intentándolo... tiempo en la montura... tiempo en la montura.

Hay una vieja historia sobre dos trabajadores que van a comer su almuerzo. Uno abre su lonchera y se queja: "¡Ash!

un sándwich de pastel de carne... odio los sándwiches de pastel de carne". Su amigo no le dice nada. Al día siguiente, se vuelven a reunir para almorzar. Una vez más el primer trabajador abre su lonchera, mira su contenido y esta vez más perturbado exclama: "¡¿Otro sándwich de pastel de carne?! Estoy harto de los sándwiches de pastel de carne. ¡Odio los sándwiches de pastel de carne!" Como el día anterior, su compañero se quedó callado. Al tercer día, los dos se preparan para comer su almuerzo cuando el mismo trabajador abre su lonchera y empieza a gritar: "¡¡Ya estuvo!! ¡Día tras día es la misma cosa, sándwiches de pastel de carne todos los malditos días, quiero otra cosa!" Queriendo ayudarle, su amigo le pregunta: "¿Por qué no le dices a tu esposa que te prepare otra cosa?" Desconcertado, el otro le contesta: "¿De qué hablas? Yo preparo mi almuerzo".

¿Cansado de los sándwiches de pastel de carne? Tú estas haciendo tu almuerzo todos los días. Cambia tus palabras. Deja de quejarte. Cambia tus palabras y pensamientos y cambiarás tu vida. Cuando Jesús dijo: "Busca y encontrarás", era una afirmación de principio universal. Lo que buscas encuentras. Cuando te quejas, usas el increíble poder de tu mente para buscar cosas que dices que no quieres, pero no obstante se te aparecen. Luego te quejas de estas nuevas cosas y atraes más cosas que no te gustan. Quedas atrapado en un "continuo de quejas", el cumplimiento de la profecía de quejarse: manifestación, queja: manifestación, queja: manifestación, y así indefinidamente.

Albert Camus escribió en su novela *El extranjero*: "Mirando al cielo oscuro sembrado de signos y estrellas, por primera vez, expuse mi corazón abierto a la benevolente indiferencia del universo". El universo es benevolentemente indiferente. El universo, o espíritu o como quieras llamarlo, es benévolo (bueno), pero también es indiferente (nada le importa). Al universo no le importa si usas el poder de tus pensamientos como lo indican tus palabras para atraer amor, salud, felicidad, abundancia y paz, o si tú atraes a ti dolor, sufrimiento, miseria, soledad y pobreza. Nuestros pensamientos crean nuestro mundo, nuestras palabras indican nuestros pensamientos. Cuando controlamos nuestras palabras erradicando las quejas, creamos nuestra vida con intención y atrayendo lo que deseamos.

CAPÍTULO 2

Quejas y salud

> De todas las profecías que se han cumplido
> en nuestra cultura, la suposición de que ser viejo
> significa decadencia y mala salud es, probablemente,
> la más mortal.
>
> MARILYN FERGUSON,
> *La conspiración de Acuario*

Nos quejamos por la misma razón de que no actuamos, y percibimos un beneficio al hacerlo. Recuerdo claramente la noche en que descubrí los beneficios de quejarme. Tenía trece años y en un *shop hop*. Si eres muy joven para recordar, los *shop hop* eran bailes, por lo regular se llevaban a cabo en los gimnasios de las preparatorias y se llamaban así porque los jóvenes que asistían tenían que quitarse los zapatos para no dañar los pisos de los gimnasios. Estos bailes eran populares en los Estados Unidos en los cincuenta, pero el resurgimiento de los *shop hop* ocurrió con el lanzamiento de la película *American Graffiti* de George Lukas. En 1973, la iglesia a la que asistía patrocinó un baile de éstos para ado-

TESTIMONIOS

Ayer llegué a casa temprano del trabajo y habiendo tenido un día particularmente difícil por mi espalda (debido a una lesión en la columna), sólo quería relajarme y lamentarme por mi situación. A los 47 años ya tenía una lista detallada de problemas médicos que me agobiaban. Pero cuando me eché en el sofá y te vi en el programa de *Oprah*, ¡me inspiré!

Todos los días me quejo del dolor y tomo muchos medicamentos para aliviarlo. Tienes razón: en realidad mis quejas me abruman, y quiero formar parte del movimiento de no quejas. Ya pedí 10 pulseras para mí y para algunos amigos. Voy a donar algo por las pulseras, pero más que nada te escribo para darte las gracias.

Estoy más agradecido con Dios porque *puedo* caminar; tengo buenos amigos, una familia adorable y un buen trabajo. Necesito volver a enfocar mis energías en estar agradecido y no regodearme en la autocompasión por los miles de problemas médicos que tengo. Te agradezco desde lo más profundo de mi corazón.

CINDY LAFOLLET, CAMBRIDGE, OHIO.

lescentes. Tenía trece años en ese entonces y, por lo tanto, era un adolescente y asistí al baile.

Ser un chico de trece años es interesante, por decir lo menos. Por primera vez, las chicas ya no son "repulsivas". Cuando eres un chico de esa edad, las chicas son atractivas y a la vez aterradoras. Tan aterradoras como podrían ser. Cuando tenía trece años las chicas ocupaban todos mis pensamientos y me perseguían en mis sueños. Pensamientos de patinetas, modelos a escala, películas y *comics* fueron todos desplazados de mi mente por las chicas. Estaba hechizado. Quería, desesperadamente, relacionarme con ellas, pero no tenía idea de cómo hacerlo o qué era lo que debía hacer después de acercarme. Me sentía como el perro que persigue carros y cuando finalmente alcanza a uno no sabe qué hacer. Quería acercarme a las chicas, pero tenía miedo a hacerlo.

La noche del baile era calurosa y húmeda. Las chicas estaban ataviadas con faldas *poodle*, peinados abombados, zapatos *saddle* y brillo labial rojo. Los trajes de los chicos consistían por principio en pantalones de mezclilla entubados hasta los tobillos, una playera con una cajetilla de cigarrillos (prestada por nuestros padres) enrollada en la manga, mocasines con centavos en ellos y el cabello alisado hacia atrás en un estilo llamado DA. El *soundtrack* de la película *American Graffiti* sonaba una y otra vez mientras las chicas permanecían a un lado del salón riendo tímidamente y yo junto con los otros chicos permanecíamos al lado opuesto sentados en sillas plegables y tratando desesperadamente de parecer buena onda. Nos aterrorizaba la idea de acercarnos a las chicas, aun cuando cada cadena de nuestro ADN suplicaba que lo hiciéramos. Si parecíamos lo suficientemente buena onda, pensábamos, tal vez las chicas se nos acercarían. Si no, al menos no pensarían que no nos importaba si lo hacían o no.

En ese entonces mi mejor amigo, Chip, era alto, un buen estudiante y excelente atleta. De esas tres cosas, yo nada más era alto. Y al contrario de Chip, yo era rellenito. Lo más que puedo recordar es que, para comprarme ropa, mamá y yo teníamos que utilizar las escaleras eléctricas para llegar al sótano de *Belk's Department Store.* El sótano era el lugar de los "fornidos" (gordos) y el único en el cual podía encontrar ropa que me quedara.

Podría decir que varias chicas miraban a Chip por su buena figura y me dolía saber que lo consideraban más atractivo que yo, y me molestaba también que sólo estuviera ahí sentado con nosotros en vez de acercarse a ellas y platicar con una.

"Soy muy tímido", decía Chip. "No sé qué decirles." "Sólo acércate y deja que ellas empiecen la conversación", le dije. "No puedes quedarte solamente sentado ahí toda la noche." "*Tú estás* solamente ahí sentado", me dijo, "y tú eres el señor sociable. Ve tú y diles algo".

Los drogadictos constantemente recordarán la primera vez que intentaron lo que más tarde se convertiría en "la droga de su preferencia", la droga que consumiría y probablemente cobraría su vida si no pudieron sacudirse su adicción a ésta. Con lo que dije a continuación estuve a punto de embarcarme en la adicción a las quejas y hubiera durado más de treinta años. Miré a Chip y le dije: "Aunque me acercara a ellas y les hablara, no bailarían conmigo. Soy muy gordo. Mírame, tengo trece años y peso más de 90 kg. Jadeo cuando hablo. Sudo cuando camino —y probablemente me hubiera caído si hubiera bailado—. Tú estás en buena forma. Las chicas te miran." Los demás chicos movieron la cabeza asintiendo. "Yo sólo soy un chico chistoso al que las chicas le hablan sobre los chicos que les gustan. Soy muy gordo. No les agrado... y nunca les voy a agradar."

En ese momento, otro buen amigo se me acercó y me dio una palmada en la espalda. "¡Eh, chico gordo!" me dijo. Normalmente ese saludo no hubiera tenido ninguna importancia. Casi todos me llamaban "chico gordo", era el sobrenombre al cual ya me había acostumbrado. Nunca lo tomé como un insulto. Ellos eran mis amigos y no les importaba que fuera gordo. Pero cuando me llamó "chico gordo" después de haber dicho tan conmovedor discurso de cuán difícil era tener sobrepeso, como una salida para evitar ir con las chicas, el efecto fue palpable en nuestro pequeño círculo. Otro de mis amigos dijo: "¡Oye, cállate!" "¡Déjalo en paz!" "¡No es su culpa que sea tan gordo!", dijo un tercero. Todos me miraron con gran consternación.

¡Sígueles la corriente!, pensé. Así que dramáticamente suspiré y miré a otro lado. Cuando me quejé sobre mi cuerpo y del probable impacto que éste tenía con las chicas, llamé la atención de los otros, su compasión y me libré de tener que ir a hablar con ellas. Mi droga me había hecho efecto. Había encontrado mi adición. Las quejas me podían "colocar".

Años después, cuando no conseguía trabajo me dije a mí mismo y a otros que eso me pasaba porque era gordo; cuando me multaron fue porque era gordo. Me tomaría otros cinco años y medio quitarme esta excusa y el sobrepeso que estaba dañando mi salud.

El psicólogo Robin Kowalski escribió que muchas de las quejas "involucran intentos para obtener de otros una particular reacción interpersonal, como aprobación o compasión. Por ejemplo, las personas tal vez se quejen de su salud, no porque en realidad se sientan enfermos, sino porque el *papel de enfermo* les permite alcanzar beneficios secundarios, como la compasión de otros o el evitar situaciones indeseables".[1]

Atraje aprobación y compasión por quejarme y por jugar la "carta de gordo", además de tener una razón justificable para no hablarles a las chicas. Mi queja me había favorecido. Tú habrás hecho algo similar en algún momento de tu vida. Nos quejamos para atraer compasión, atención y para evitar dar un paso que nos atemoriza. Cuando era niño y tenía los síntomas de gripa o de otra enfermedad, exageraba mucho para quedarme en casa, en vez de ir a la escuela, y ver la TV. Lo curioso era que por lo regular me sentía más enfermo después de quejarme que antes de hacerlo.

¿Has jugado el papel de enfermo? ¿Lo estás haciendo ahora? De la mala salud es de lo que más se queja la gente. Las personas se quejan de su salud para atraer atención, compasión y evitar "situaciones indeseables" como el adoptar un estilo de vida más saludable. Cuando nos quejamos de nuestra salud, tal vez recibamos estos beneficios, pero: ¿a qué costo?

Probablemente has escuchado el término *enfermedad psicosomática*. Una enfermedad psicosomática es causada por un proceso mental de quienes la padecen por causas estrictamente psicológicas. En nuestra sociedad hay una tendencia a creer que las enfermedades psicosomáticas son "inventadas" por una pequeña cantidad de individuos perturbados. Muchos creen que estas enfermedades, creadas por el pa-

[1] Kowalski, R. M. (1996), "Complaints and Complaining: Functions, Antecedents, and Consequences", *Psychological Bulletin*, 119, p. 180.

ciente, no deben tomarse en serio. Sin embargo, los médicos estiman que casi dos terceras partes de su tiempo son ocupadas en tratar pacientes que padecen enfermedades de origen psicosomático.[2]

Piensa en eso. Dos terceras partes de las enfermedades se originan en la mente. Incluso, la palabra "psicosomático" viene de "psique", que significa "mente", y "soma", que quiere decir "cuerpo". Por lo tanto, psicosomático significa literalmente "mente/cuerpo". Hay una conexión entre la mente y el cuerpo, lo que la mente cree, el cuerpo lo manifiesta. Docenas de estudios de investigación han demostrado que lo que una persona cree sobre su salud conlleva a volverse real para ellos. Escuché un reportaje en *Nacional Public Radio* en el que se decía que algunos médicos habían descubierto que si les recetaban a sus pacientes un medicamento dándoles la gran promesa de que los curaría, éste tenía un efecto mucho más benéfico que cuando lo recetaban a otros pacientes sin dicha promesa. En el reportaje también se mencionó la noticia con respecto a un estudio que descubrió que los enfermos de Alzheimer que padecen otras enfermedades, como alta presión, no tuvieron el beneficio total de los medicamentos que consumieron porque, debido a su pérdida de memoria, no pudieron recordar que tenían que tomar diariamente sus medicamentos. La mente tiene un efecto poderoso en el cuerpo.

Hace unos meses me llamaron del hospital para visitar a una feligrés miembro de mi iglesia desde hacía mucho tiempo. Antes de entrar a su habitación me detuve, como

[2] *Ibid.*, p. 186.

normalmente lo hago, en la recepción para preguntarles a los doctores y a las enfermeras sobre su diagnóstico. "Está bien", me dijo una enfermera. Su médico agregó: "Tuvo un ataque, pero se va a recuperar por completo". Cuando entré a su habitación, vi a una persona que tenía cualquier apariencia menos la de estar "bien". "Hola, Jane, soy yo, el reverendo Will", le dije. "Reverendo Will", dijo débilmente, "qué bueno que vino. Sólo me quedan unos días... estoy muriendo".

"¿Que estás qué?" le pregunté. "Me estoy muriendo", dijo. En ese momento, entró la enfermera para checar sus signos vitales, la llevé a un lado y le dije: "Pensé que había dicho que estaba bien". "Lo está", me contestó. "Pero Jane me ha dicho que se está muriendo". Moviendo sus ojos exasperadamente, se acercó a la cama. "¿Jane?, ¡Jane!, abra los ojos, Jane. Usted ha tenido un ataque, querida, no se está muriendo. Se va a poner bien. Sólo unos días más y la mandamos a rehabilitación. En poco tiempo estará en su casa con su gato, Marty, ¿entendido?" "Está bien", dijo Jane sonriendo.

Jane esperó a que se fuera la enfermera para después darme los detalles de su funeral que se avecinaba. "¡Pero no te vas a morir!", protesté. "Voy a anotar lo que me digas y cuando te mueras —que todavía falta mucho— entonces haré tu funeral". Jane sacudió la cabeza y dijo: "Ya me estoy muriendo", y continuó dándome detalles sobre su servicio funerario.

A mi salida, hablé de nuevo con la doctora: "Ella está convencida de que se va a morir" le comenté. La doctora sonrió: "Mire, todos nos vamos a morir algún día, incluso

Jane. Pero sólo tuvo un ataque y eso no la va a matar. En verdad se va a mejorar".

Dos semanas después oficié el funeral de Jane. Los médicos y las enfermeras no pudieron convencerla de que no se iba a morir; ella se había convencido a sí misma de que se iba a morir y su cuerpo se lo creyó.

Cuando te quejas de tu salud, estás expresando comentarios negativos que tu cuerpo escucha. Los registra y tu mente (psique) dirige la energía a tu cuerpo (soma), atrayendo más problemas de salud. ¿Alguna vez has notado que las personas que se quejan de su salud inevitablemente tienen más y más de qué quejarse?

"Pero en verdad estoy enfermo", has de decir. "Por favor entiende que no dudo de que creas que lo estás. Pero recuerda que los médicos estiman que el 67 por ciento de las enfermedades son resultado de "pensarte enfermo." Nuestros pensamientos crean nuestro mundo y nuestras palabras indican nuestros pensamientos. Quejarse sobre una enfermedad no va a acortar su duración ni su severidad.

Te invito a que consideres qué tanto podría ser un intento de atraer simpatía y atención el hablar de tus enfermedades. Tal vez no quieras responder la pregunta, pero es algo importante para, al menos, considerarlo. Cuando te quejes de tu salud, recuerda que podrías estar intentando apagar el fuego con gasolina. Podrás querer sentirte saludable, pero cuando te quejas de tus enfermedades envías ondas de energía que limitan tu salud en todo tu organismo.

En 1999, a la edad de 39 años, a un buen amigo mío, Hal, le diagnosticaron cáncer pulmonar en cuarta fase. Los médicos estimaron que moriría en menos de seis meses. Además de este mortal diagnóstico, Hal estaba enfrentando otras dificultades. Aun cuando se había ganado el sustento vendiendo seguros de vida, él no tenía ninguno. Sus deudas se le habían acumulado y era una constante lucha mantener la esperanza y alimentar a su familia. Cuando supe que iba a morir, lo fui a ver y quedé estupefacto por su actitud optimista. No se quejó; al contrario, me habló sobre lo grandiosa que había sido su vida y de lo afortunado que había sido.

Todo el tiempo Hal mantuvo su gran sentido del humor. Un día lo invité a dar un paseo, pero, debido a que estaba muy débil, nunca pasamos del patio frontal. Permanecimos enfrente de su casa disfrutando del aire fresco y platicamos. Mientras tanto, Hal se dio cuenta de que había varios buitres grandes volando lentamente en círculo, justo arriba de él. Hal, señalándolos, dijo: "¡Ah, un mal presagio!" Cuando vi el destello malicioso en uno de sus ojos, los dos nos soltamos a reír.

Cuando nuestras risas amainaron, le pregunté: "¿Cómo le haces para no quejarte por todo lo que estás pasando?" Hal se apoyó en su bastón y me dijo: "Fácil, no es el quince". Sintiendo que había contestado mi pregunta adecuadamente, empezó a caminar lentamente de regreso a la casa. "¿Qué carambas tenía que ver el quince con todo esto?" le pregunté. "Cuando me lo diagnosticaron supe que iba a ser difícil y que podría pasar por esto maldiciendo a Dios, a la ciencia y todos los demás. O podría concentrarme en las cosas buenas de mi vida. Así que decidí darme un solo día del mes para quejarme. Al azar escogí el 15. Cuando pasa cualquier cosa de lo que quiera quejarme, me digo que tengo que esperar hasta el 15". "Y ¿qué tal?" le pregunté. "Pues muy bien", contestó. "Pero ¿no te deprimes mucho el 15 de cada mes?" insistí. "No", contestó. "Para cuando es el día 15, ya olvidé de lo que me iba a quejar."

Aun cuando vivíamos a dos horas de distancia, visitaba a Hal dos veces por semana hasta que murió. La gente me dirá que qué gran amigo era yo y qué tan atento para dedicarle ese tiempo. La verdad es que lo hice por mí. Hal me enseñó que aun en medio de algo tan difícil como lo es una enfermedad terminal, uno puede encontrar la felicidad. Ah, y no murió dentro de los seis meses. Vivió dichoso más de dos años, haciendo feliz a las personas que lo rodeaban. Lo extraño; pero la huella positiva que dejó en mi vida es indeleble. Y venció las probabilidades. Ésa es la afirmación del poder de la salud para vivir una vida de gratificación y no de quejas.

Hasta este momento de nuestro viaje, has empezado a vislumbrar tus quejas. Has comenzado a volverte consciente de tu incompetencia. Te estás dando cuenta de los momentos en que te quejas. Estás dentro de la Incompetencia consciente.

SEGUNDA PARTE

Incompetencia consciente

CAPÍTULO 3

Quejas y relaciones

Es una pérdida de tiempo estar enojado por mi discapacidad. Uno tiene que seguir adelante en la vida y no lo he hecho tan mal. La gente no tiene tiempo para ti si siempre estás enojado o quejándote.

STEPHEN HAWKING

Cuando entras a la etapa de la Incompetencia consciente, te incómoda el darte cuenta (eres consciente) de qué tanto te quejas (eres incompetente).

Cuando nos quejamos, es posible que ganemos los beneficios de la atención o compasión. Es también posible que evitemos hacer algo que nos obligue a realizar un esfuerzo. Sin embargo, cuando nos quejamos caminamos sobre una delgada línea. Las personas que se quejan continuamente pueden terminar aisladas, debido a que las personas que las rodean sienten que les quitan la energía. Probablemente conozcas gente que te ha quitado la energía. Debido a su tendencia natural a quejarse, estas personas literalmente

TESTIMONIOS

Me enteré de este maravilloso programa en *The Today Show.* Comencé a preguntarles a mis compañeros de trabajo si estarían interesados en hacer esto. La mayoría de ellos accedieron y pedimos nuestras pulseras. Decidimos que mientras esperábamos a que llegaran, designaríamos un día de la semana y trataríamos de no quejarnos durante ese día. Así que fijamos el lunes como *Lunes de no quejarse.*

Teníamos letreros puestos en nuestro pizarrón de anuncios y por toda la oficina para recordar a los empleados que trataran de no quejarse o lamentarse los lunes. De verdad ha sido una inspiración en nuestra oficina y usualmente nos saludamos los lunes con un "¡Bienvenido al lunes de no quejarse!"

Si lo piensas, la vida es muy corta. Siempre estamos buscando aquellos grandes beneficios de la vida (por ejemplo: más dinero, seguridad en el trabajo, perder peso, etcétera) cuando deberíamos de empezar a buscar aquellos pequeños beneficios que se nos dan a diario. Pienso que este programa es algo maravilloso. ¡Estamos muy contentos!

SALLY SCUDIERE, KENT, OHIO.

absorben tu energía que se convierte en conmiseración. A la inversa, las personas que se encuentran en una situación grave pueden permanecer optimistas y lograr no sentirse víctimas. A pesar de que mi amigo Hal se estaba muriendo, nunca sentí que él me quitara mi energía. Todo lo contrario, fui animado por su optimismo y alegría.

Por lo regular las personas tienden a seguir un proceso que va de quejarse poco a quejarse mucho. Si una persona perteneciente a un grupo muchas veces no está de acuerdo con la norma de éste, se dará cuenta con el tiempo de que él o ella ya no es bien recibido.

De nuevo, tomando la queja como droga, muchos de nosotros hemos estado en situaciones en las que otros beben, fuman o se drogan en exceso. Si alguien no está de acuerdo con el grupo, las personas del grupo se sentirán amenazadas. Mi teoría en cuanto a este fenómeno es que los individuos que practican una conducta destructiva saben que no están tomando las decisiones correctas y saberlo aumenta el problema en comparación con la persona que no lo sabe. Cuando nos encontramos en compañía de personas que se quejan más o se quejan menos que nosotros, nos sentimos incómodos. Nuestros niveles de vibración son diferentes y las personas con diferentes energías se repelen.

¿Te encuentras en un grupo de personas que se quejan? ¿Estás rodeado de gente que se lamenta? Entonces tengo algo que te hará pensar. Solemos estar en compañía de personas como nosotros y nos alejamos de aquellos que son diferentes de nosotros. Una de las cosas más graciosas del movimiento "Libre de quejas" es el número de peticiones que recibimos de personas que nos escriben algo así: "Por favor mándenme pulseras moradas cuanto antes; todas las personas que conozco se la pasan quejándose". Cuando recibimos una de estas peticiones, que es muy seguido, sonreímos y enviamos las pulseras sin decir nada. Sonreímos porque sabemos que la persona que mandó la solicitud probablemente también se queja mucho y no tiene idea de que lo hace. Cuando ellos se ponen sus propias pulseras moradas, no sólo comienzan a entender a los demás, sino también se dan cuenta de lo mucho que ellos se quejan.

En *Ilusiones*, Richard Bach escribió una simple y profunda verdad: "Los semejantes se atraen". Personas que son parecidas, ya sean agradecidas o que se quejan, se atraen unas a otras. Y personas que son diferentes se repelen. Todos somos seres de energía, y la energía que no vibra a la misma frecuencia no armoniza.

Los pensamientos también son energía y atraes cosas que armonizan con tus patrones de pensamiento y repeles las cosas que no. Tus palabras indican, reafirman y perpetúan tus pensamientos. De este modo, cuando te quejas, estás en realidad repeliendo lo que manifiestas querer. Tus quejas te alejan de las cosas que dices querer. Sé de un grupo de mujeres que se reunían todas las semanas a "apoyarse unas a otras". Este "apoyo" consistía principalmente en quejarse de los hombres. Por lo que entendí, sus temas favoritos son "los hombres son egoístas", "los hombres no quieren comprometerse" y "no puedes confiar en los hombres". Como es de esperarse, ninguna de estas mujeres es capaz de mantener una relación feliz y saludable con un hombre. ¿Ellas desearían una relación así? Por supuesto; no obstante, con sus quejas ellas envían vibraciones de energía que "los hombre no son buenos", causando que los "hombres buenos" no aparezcan en su vida. Ellas crean esta realidad con sus quejas.

Hace algunos años, Gail y yo conocimos una pareja que tenía un hijo de la misma edad de nuestra hija. Nosotros los adultos teníamos mucho en común y a los niños les gusta mucho jugar juntos, de manera que nuestras familias compartían mucho tiempo. Sin embargo, en el transcurso de varios meses comencé a darme cuenta de que ni Gail ni yo nos emocionábamos con estas reuniones. Una noche, Gail dijo: "De verdad ellos me caen bien, pero cada vez que ella y yo hablamos lo único que hace es quejarse de él". Le dije que quejarse de su esposa era lo único que él hacía cuando estábamos lejos de ellas.

Nos dimos cuenta de que durante estas reuniones de quejas aquellos cónyuges no sólo se quejaban uno del otro, sino también parecían determinados a ayudar a Gail y a mí a encontrar defectos en nuestra relación. Ellos trataban de que nos concentráramos y habláramos de las cosas que no nos gustaban de nosotros. La miseria no solamente ama la compañía, sino que obtiene convalidación de ella. Con el tiempo, dejamos de vernos con esta familia hasta que finalmente perdimos todo contacto.

Gail y yo tenemos nuestras diferencias, como las tienen dos personas que comparten cualquier tipo de relación. La persona con la cual tienes una relación, a menudo saca a relucir cosas que necesitas reconocer y, finalmente, solucionar. Gail y yo resolvemos nuestros problemas platicando entre nosotros y no con otras personas. Platicar con otra persona en vez de hacerlo con aquella que saca a relucir tus sentimientos encontrados es triangulación. Si no estás familiarizado con la triangulación, ésta ocurre cuando te encuentras en una situación incómoda con alguien y discutes la situación con alguien más en vez de hablarlo directamente con la primera persona. Una comunicación sana es platicar única y exclusivamente con la persona con la que tienes el problema. Platicar con alguien más es quejarse; es triangulación que alargará el problema en vez de resolverlo.

Tal vez hayas experimentado esto en tu vida: uno de tus hijos probablemente está molesto con su hermano y recurre a ti en vez de ir con la persona con la que está disgustado. Tú, el padre sabio y benevolente, se involucra ya sea aconsejando qué hacer al niño descontento o, peor aún, yendo tú mismo con el otro niño. A corto plazo, podrás haber resuelto el problema; sin embargo, no les estarás dando a los niños las herramientas necesarias para que ellos resuelvan los problemas que se les presenten en un futuro. Permites que el niño que se queja permanezca como víctima en la situación y perpetúas este patrón en futuras discusiones de la vida del niño.

Quieres ayudar y apoyar a tus hijos; sin embargo, cuando tratas de resolver los conflictos personales entre uno y otro no estás inculcando una sana comunicación. Más aún, estarás inconscientemente invitando a tus hijos a que te involucren regularmente en futuros conflictos sin tener en cuenta su importancia o magnitud. Es mejor invitarlos a que platiquen uno con el otro que confíen en su instinto y resuelvan sus conflictos. Al hacer esto, les estás dando el regalo de una sana comunicación, además de que les ayudas a encontrar su propia fortaleza, lo cual es otro regalo importante.

La triangulación es muy común en algunas iglesias. Recientemente escuché a un ministro que platicaba con otro comentarios acerca de la manera en la que un tercer ministro dirigía su iglesia. Después de varios minutos de esta plática, el oyente —el cual había permanecido en silencio hasta ese momento— presionó el botón del altavoz en su teléfono y llamó al ministro que había sido desacreditado: "Jim, soy Jerry. Estoy sentado aquí con Mike, quien me estaba compartiendo sus sentimientos acerca de ti y de tu iglesia. No quiero ser parte de una triangulación y sé que te encantaría la retroalimentación que él está dispuesto a compartir. Así que, Mike, aquí está Jim". Mike se sentó conmocionado, con su cara roja de vergüenza. En ese momento, Mike entendió claramente el mensaje de que hablar de alguien a sus espaldas no es algo para nada honrado. Y Jerry trazó un límite saludable, asegurando que no sería parte del chisme de Mike.

Esto explica por qué asocio el chisme con el quejarse. ¿Estoy en contra de divulgar "chismes"? Absolutamente no. Siempre y cuando:

1. Lo que digas acerca de una persona ausente sea favorable.
2. Que repitas, palabra por palabra, a la persona ausente lo que dijiste en su ausencia.

Si puedes seguir estas dos simples reglas, chismorrea todo lo que quieras. Inténtalo. Y no hagas trampa al decir: "No es maravilloso lo mal que se viste", llamando esto positivo cuando bien sabes que el mensaje subyacente es una crítica. Es la misma cosa. Citando un dicho popular del sur de los Estados Unidos, *poner betún a una pila de estiércol no lo hace ser un pastel.* Si no se lo vas a decir directamente a la persona, es chisme y queja. Tu mamá estaba en lo cierto: si no puedes decir nada agradable de una persona, mejor no digas nada de ella. No necesitas liberar esa energía en el mundo.

Si eres del tipo de persona que normalmente chismorrea, te darás cuenta de que hablar solamente elogios de una persona le quita sabor al chisme. En la sociedad actual, chismoso comúnmente significa quisquilloso (*nitpick*). ¿Sabes de dónde proviene la palabra *nitpick*? Los huevos de piojos (*lice eggs*) son llamados liendres (*nit*). Entonces *nitpick* significa levantar (*pick*) liendres (*nit*) de otra cabellera. El asunto con los piojos es que les gusta moverse de una cabellera a otra. No levantes liendres o terminarás plagado.

Una de las principales razones por la que chismorreamos o nos quejamos es porque queremos vernos mejor ante las comparaciones: "Por lo menos no soy tan malo como [coloca un nombre]". Cuando saco a relucir tus defectos, implico que yo no tengo tales y entonces soy mejor que tú.

Quejarse es presumir. Y a nadie le agrada un presumido. Aquí tengo algo más que te hará pensar. No te fijarías en los defectos de lo demás si éstos no los tuvieras tú. Justo como las personas que nos piden las pulseras moradas para "toda las personas que se quejan alrededor mío" y que terminan siendo ellas mismas quienes se quejan más, te darás cuenta de que las cosas que te molestan más de otras personas son las características que compartes con ellas. Solamente te encuentras en la etapa de la incompetencia inconsciente que toma en cuenta esa parte de tu personalidad. Percatarte de los defectos de otras personas es la manera en que el universo te invita a reconocer los tuyos y corregirlos.

Si quieres resaltar algo negativo de alguien, haz una autoexploración, ve si tú también lo tienes y da las gracias por esta oportunidad de ser consciente sobre tus defectos y de poder anularlos por ti mismo.

Y, por favor, no dejes que el corolario se te escape. Las buenas cosas, las cosas que tú admiras en otros, son atractivas por la misma razón. Las ves en otros porque también están dentro de ti. Éstas son atributos de quien eres. Es probable que por ahora las características positivas estén escondidas, pero si te concentras en éstas, podrás, mediante tu atención, sacarlas a relucir.

No solamente estás creando tu realidad por medio de tus palabras y pensamientos, sino que estás afectando a todos a tu alrededor. La próxima vez que estés sentado en el público y éste comience a aplaudir, fíjate en algo: si los aplausos se prolongan durante un largo tiempo, las personas comenzarán a aplaudir al mismo ritmo. Todas formarán un concierto. A esto se le llama sincronización. Los seres humanos se mueven hacia la armonía de sus vibraciones, y si la armonía no puede ser alcanzada, se disipa. Cuando la gente se sincroniza mientras aplaude, el aplauso tiende a prolongarse. Si no, cesa.

He demostrado esto numerosas veces cuando hago mis pláticas frente a grandes audiencias. No le digo a la audiencia para qué, sino que les pido que aplaudan y continúen aplaudiendo hasta que les diga que paren. Algunas veces todo ocurre en cuestión de segundos, otras después de un minuto o dos; no obstante, siempre sucede. El aplauso forma un ritmo, una cadencia: este grupo de individuos comienzan a aplaudir como si fueran metrónomos humanos sincronizados; ellos se sincronizan.

Mi madre fue una de las cuatro hijas en su familia. Ella me comentó que su ciclo menstrual y el de sus hermanas iniciaba al mismo tiempo todos los meses. Por el simple hecho de estar cerca una de otra, su fisiología se sincronizaba. Cuando la más grande de mis tías se fue a la universidad, en poco tiempo su ciclo cambió y se alineó con el de su compañera de cuarto. Cuando mi tía regresó a casa en el verano, su ciclo se realineó con el de sus hermanas. Está en la naturaleza del ser humano el sincronizarse, el adaptarse, el caer en los mismos patrones de aquellos que nos rodean.

Sincronizarse es un principio, así como la gravedad. No es algo bueno ni malo –simplemente es. Y, al igual que la gravedad, siempre está trabajando. Es por eso que constantemente estás armonizando con las personas a tu alrededor. Te estás sincronizando con ellos y ellos contigo. Cuando estás alrededor de alguien que se queja, te quejarás más.

El estar consciente de la cantidad de quejas que son expresadas a tu alrededor te ayuda a darte cuenta de lo que probablemente estás experimentado al atraer todo esto con tu participación. Esto es parte del proceso para un cambio de vida. Y algunas veces, mientras cambias, te despojarás de viejas relaciones. Mientras estaba en el proceso de cambio de los 21 días, me percaté de que lo estaba haciendo bien la mayor parte del tiempo, pero terminaba lamentándome siempre que hablaba con un viejo amigo. Después de una llamada telefónica de quince minutos en la cual cambié mi pulsera cuatro veces, me dije a mí mismo: “Si Scott no fuera tan negativo, no estaría tentado a quejarse cada vez que hablamos". La siguiente vez que hablamos, hice un esfuerzo por mantener la conversación positiva y descubrí que era muy difícil. Realmente no teníamos mucho de qué platicar. Me di cuenta de que nuestra relación estaba basada en las quejas y, siendo personas competitivas, tratábamos de superar las lamentaciones del otro. Si hubiera unas olimpiadas de quejas, sería muy difícil saber a quién dar la medalla de oro.

A fin de completar el reto, dejé de contestar sus llamadas. "Es todo culpa de Scott" me dije a mí mismo, sintiéndome muy superior. Otras personas que conocían a Scott no lo percibían de esta manera. Con ellos, él era alegre y optimista. ¡Auch!

Tenía que admitir que era yo. Era mi negatividad la que alimentaba mi *kvetch* en nuestra relación; así, durante mi alejamiento de él, me esforcé por sacar todas las quejas de mí en vez de culparlo a él.

La realidad ve el tiempo. ¿Dirías que las personas con las que más pasas el tiempo se quejan constantemente? Si es así, ¿cómo vas con tu pulsera morada (u otro dispositivo de supervisión)? ¿Te has dado cuenta de que tú también hablas de más acerca de las cosas que te hacen infeliz? ¿Con regularidad expresas pesar, dolor o descontento? Está bien. Si es así, eres normal. Pero puedes ser más que normal; está en ti ser excepcional y juntos llegaremos ahí.

Con frecuencia me preguntan: "¿Cómo le hago para que mi jefe (o amigo, pareja, esposo(a), hijos, empleados, etcétera) dejen de quejarse? La respuesta es: no puedes. Pero ¿no dije en un capítulo anterior que sí se podía? Sí y bienvenido a la gran paradoja del cambio. No puedes hacer que otra persona cambie. Las personas cambian porque así lo quieren, y tratar de cambiar a alguien sólo conllevará a que se aferren más a su comportamiento. Compartiendo otro dicho popular del sur: *nunca intentes enseñar cantar al cerdo. Pierdes tu tiempo y molestas al animal.*

Y un cerdo molesto contigo no se inscribirá a lecciones de canto que tú impartas. La manera en la que inspiras el cambio en otras personas fue resumida por Benjamín Franklin: *El mejor sermón es el buen ejemplo.* Y Gandhi lo puso de esta forma: *Debemos vivir lo que queremos que los demás aprendan.* Si quieres que otros cambien, debes cambiar primero tú. Comprende que sé que tienes las más nobles de la razones para querer cambiarlos. Pero el hecho de que estés con ellos en una relación significa, hasta cierto punto, que eres un factor que contribuye en las quejas que se presentan. Cuando los jefes, padres, ministros, entrenadores o jefes de familia solicitan pulseras moradas queriendo cambiar a aquellas personas que dirigen, a menudo me siento obligado a incluir esta pequeña nota: "Advertencia: esto no funcionará a menos que tú lo hagas". Estoy convencido de que esto verdaderamente podía haber sido otra chuchería dominical, como Marcia la llamó; si no me hubiera quedado con ella, para probar que es posible pasar 21 días sin quejarse. Si quieres llevar a alguien al cambio, recuerda que siempre un líder está al frente, de cara al enemigo y abriendo paso a los demás para que lo sigan.

Hay un viejo proverbio ruso: *si tú quieres asear todo el mundo, comienza por barrer tu propia entrada.* El cambio que buscamos nunca está "allá afuera" sino dentro de nosotros. Lo que nosotros hacemos afecta el mundo, porque afecta a aquellos que nos rodean y este impacto se extiende.

¿Alguna vez te has fijado el rumbo que toman las conversaciones cuando la gente se reúne? Alguien menciona un libro que recientemente leyó y toda la conversación cambia de dirección en torno a los libros por un momento. O, si el libro que se mencionó es acerca de acampar, entonces la conversación se torna en un recuento de todos los campamentos en que los hablantes han participado. La conversación cambia de un tema a otro como el videojuego de 1980 *Frogger*, en el que la rana cruza un arrollo primero saltando sobre un leño flotante, luego sobre un caparazón de tortuga y por último sobre otro leño. Las conversaciones siguen el mismo patrón. Son como una gran sinfonía en la que una melodía es tocada y se repite hasta que hay un cambio sutil por uno de los instrumentos y toda una nueva melodía se revela.

En la literatura de rehabilitación de alcohólicos y drogadictos se acepta: *nuestra enfermedad es progresiva.* Así también es el quejarse. La próxima vez que estés hablando con un grupo de personas, fíjate cuando alguien comience a quejarse. Es entonces cuando quejarse se convierte en un deporte competitivo en el que alguien tratará de llevar siempre la ventaja. El tono de la discusión cambia: "Piensas que *eso* es malo; entonces déjame contarte acerca de..." Todo empieza de manera sencilla, nadie trata de llevar al grupo a lamentarse, pero pronto la discusión se convierte en una competencia en lo cual cada una de las personas trata de superar a las demás acerca de las malas experiencias que han sufrido o están sufriendo.

Un gran ejemplo en este aspecto de nuestra comunicación fue satirizado por el grupo cómico británico *Monty Python's Flying Circus* en su sátira "The Four Yorkshiremen" incluida en su disco *Live at Drury Lane* de 1974.

En su *sketch*, los cuatro caballeros sofisticados de Yorkshire aparecen sentados disfrutando de un costoso vino. Su conversación inicia de manera positiva, cambiando sutilmente a negativa, para luego dar paso a una despiadada e incesante competencia de quejas.

Comienza cuando uno comenta cómo, en años anteriores, él hubiera sido afortunado de tener el dinero para una taza de té. Un segundo, queriendo superar al primero, dice que él hubiera sido afortunado de tener té frío.

A medida que cada uno trata de probar que su vida ha sido la más dificultosa de todas, las quejas aumentan y sus comentarios crecen hasta el absurdo. En algún momento, uno de los caballeros narra acerca de las terribles condiciones en que estaba la casa donde creció. Un segundo caballero pone sus ojos en blanco y dice:

> ¡Casa! ¡Fuiste afortunado de haber vivido en una casa! Nosotros solíamos vivir en un cuarto, éramos veintiséis, sin muebles, la mitad del piso faltante, y todos apretados contra una esquina por miedo a que se cayera.

Las lamentaciones continuaron…

> ¡Ey, fuiste afortunado de tener un cuarto! ¡Nosotros solíamos vivir en el pasillo! ¡Oh, nosotros solíamos soñar con

vivir en un pasillo! Nosotros vivíamos en una vieja cisterna de un basurero. ¡Todas las mañanas nos despertábamos con una pila de pescado podrido que nos tiraban!

Bueno, cuando dije "casa" me refería a un agujero en el suelo cubierto por una lona; no obstante, era una casa para nosotros. Fuimos desalojados de nuestro agujero y tuvimos que ir a vivir al lago.

¡Fuiste afortunado de tener un lago! Había ciento cincuenta de nosotros viviendo en una caja de zapatos a mitad de la calle.

Finalmente, uno de los personajes se declara ganador de la competencia: "Tenía que levantarme en la mañana a las diez de la noche; media hora antes de irme a acostar, bebía una copa de ácido sulfúrico, trabajaba veintinueve horas al día en un molino y tenía que pagar al dueño del molino para que me diera permiso de venir a trabajar. Y cuando llegáramos a casa, nuestros padres nos matarían y bailarían sobre nuestras tumbas cantando Aleluya".

¿Es la competencia de quejas lo que quieres ganar? Está bien, sigue adelante y quéjate hasta que todos se rindan y te declaren la persona que más se queja en este mundo. Esta victoria viene con premios tales como desafortunadas relaciones en las que abunde el melodrama, problemas de salud, preocupaciones económicas y una infinidad de problemas. Si esto no te llama la atención, no te involucres cuando oigas quejas. Las personas te sincronizan con sus palabras y tú a ellas con las tuyas. Cuando estás con un grupo de personas y la conversación comienza a caer en la negatividad, sólo siéntate y observa. No intentes cambiar a las personas. Si alguien te pregunta por qué no te estás quejando, sólo muéstrales tu pulsera morada y diles que estás "en formación" para ser una persona "Libre de quejas".

CAPÍTULO 4

El despertar

Hemos conocido al enemigo y él es nosotros.

POGO

Un joven monje se unió a una orden que requería silencio total. A su criterio, el abad podía permitir a cualquier monje que hablara. Pasaron casi cinco años antes de que el abad se acercara al monje principiante y le dijo: "Puedes decir dos palabras". Escogiendo sus palabras cuidadosamente, el monje dijo: "Cama dura". Con verdadera preocupación, el abad dijo: "Lamento que tu cama sea incómoda. Veremos si podemos conseguirte otra".

Por su décimo año en el monasterio, el abad se acercó al joven monje y le dijo: "Puedes decir dos palabras más". "Comida fría", dijo el monje. "Veremos qué podemos hacer", contestó el abad.

En el quinceavo aniversario del monje, el abad le volvió a decir: "Ahora puedes decir dos palabras". "Yo renuncio", dijo el monje. "Probablemente sea lo mejor", respondió el

TESTIMONIOS

Recientemente estaba viajando y el mal tiempo en uno de los aeropuertos causó que muchos vuelos se retrasaran o cancelaran. Estaba sentado en la compuerta, ya había cambiado mi vuelo por otro, y estaba viendo a la desafortunada representante de la línea aérea en el mostrador de la compuerta. Estaba siendo bombardeada por un número de personas que asumían que el mal tiempo, la cancelación de vuelos y todo aquello que causaba su fastidio era culpa de ella, y cada uno de ellos descargaba su molestia con ella y pude ver que la muchacha estaba a punto de explotar.

Algo se me ocurrió y, siguiendo mi instinto, me levanté y formé en la línea de personas que intentaban compartir su mal día con ella. Esperé pacientemente mi turno, y cuando por fin estaba delante de ella, vi su frente arrugada por el estrés, sus ojos cansados me miraron y me preguntó: "¿Puedo ayudarlo en algo, señor?"

"Sí", le contesté. Y luego le pedí que actuara como si estuviera ocupada mientras hablaba con ella. Le dije que me

abad. "No has hecho nada más que quejarte desde que llegaste aquí."

Como el joven monje, puedes pensar que tú tal vez no te quejas muy seguido; sin embargo, en este momento te estás dando cuenta de que sí lo haces.

Todos hemos experimentado sentarnos, acostarnos o recargarnos en uno de nuestros brazos o piernas por cierto tiempo y se nos han "dormido". Cuando cambiamos de postura y nuestra sangre vuelve a fluir normalmente en ese había formado en la fila para darle 5 minutos de descanso. Mientras ella escribía a máquina (no tengo idea qué haya escrito), le expliqué que mientras todas estas personas intentaban arruinar su día, ella conocía a otras personas que realmente se interesaban por ella y que tenía pasiones en su vida que le daban sentido a ésta, las cuales eran mucho más importantes que lo que estaba pasando el día de hoy. Y tomando todo eso en cuenta, lo que estaba sucediendo aquí no era importante y no debía de estresarle. Conversamos por unos minutos mientras ella aparentaba estar ocupada.

Después de ver que ella había recuperado el aplomo, supe que debía regresar a su trabajo, le deseé un buen día y le dije que era tiempo de atender a su siguiente cliente. Ella me miró y pude darme cuenta de que sus ojos se estaban recuperando. "Muchas gracias", me dijo. "No sé cómo agradecerle lo que hizo."

Sonreí y le expresé que la mejor manera de agradecerme era siendo amable con otra persona cuando tuviera la oportunidad.

HARRY TUCKER, NUEVA YORK, NY

brazo o pierna "dormida", aparece un hormigueo. Algunas veces este hormigueo es molesto y en ocasiones hasta doloroso. Lo mismo sucede cuando comienzas a darte cuenta de tu naturaleza quejumbrosa. Si eres como la mayoría de las personas, entonces la comprensión de la frecuencia de tus quejas debe ser algo sorprendente. Está bien. Sólo sigue moviendo esa pulsera y quédate con ella. No te rindas.

Recuerda, sólo nos importan las quejas que dices. Con el fin de lograr este cambio de "21 días sin quejas", sólo trabajamos en erradicar las que son expresadas. Si las piensas, no cuentan. Te darás cuenta de que entre menos quejas expreses, tu mente formulará menos. Hablaremos un poco más de esto más adelante. Por ahora, concéntrate en una queja que se te pueda escapar de la boca.

Advertencia: la etapa de la Incompetencia consciente es en la que he visto la mayor cantidad de gente rendirse y volver a sus viejos hábitos. La oleada desaparece con ellos y no se vuelve a propagar. Mencioné en un capítulo anterior que estaba muy pasado de peso en mi infancia. En mi último año de preparatoria finalmente pude reducir el exceso: 50 kilos. Cuando mis amigos me preguntaron qué dieta había seguido para obtener tan buenos resultados, les dije: "La única a la que me he apegado". Había hecho una infinidad de dietas, pero finalmente me quedé con una y los resultados fueron asombrosos. Así que apégate a esto cuando te asombres y avergüences de qué tan seguido te quejas. Me equivocaba pero volvía a empezar. Eso es todo lo que necesitas, comenzar una y otra vez, cambiando esa pulsera de mano. En palabras de Winston Churchill: "El éxito viene de fracasar una y otra vez sin perder el entusiasmo".

Soy un malabarista. No, no trato de hacerme el listo acerca de cómo mi vida está tan ocupada que tengo muchas pelotas que sostener en el aire. Literalmente soy un malabarista; es uno de mis pasatiempos. Aprendí a hacer malabares de un libro que venía con tres bolsas cuadradas de cáscaras de pacana aplastadas. La forma y contenido de las bolsas fueron creados con un solo propósito: evitar que rodaran cuando se cayeran. El mensaje importante e implícito de las bolsas era: *nos* van a dejar caer.

He hecho malabares en las funciones de la escuela de mi hija y en eventos de la iglesia. Sin embargo, siempre rechazo invitaciones para hacer malabares en concursos de talento. Hacer malabares no es un talento; es una habilidad. Un talento puede ser cultivado y desarrollado hasta su máxima expresión. Una habilidad es algo que la mayoría de la gente puede aprender si le dedica tiempo. He enseñado a hacer malabares, y siempre comienzo por entregar una de aquellas bolsas cuadradas a las personas y les pido que la dejen caer. Aunque confundidos, ellos hacen lo que les pido. "Ahora levántala", les dijo. Ellos lo hacen. "Ahora tírala otra vez." "Levántala." "Tírala." "Levántala." Realizamos esto tantas veces, hasta que comienzan a cansarse de este ejercicio. En este punto, les pregunto: "¿De verdad quieres aprender a hacer malabares?" Si responden "sí", les digo que se acostumbren a tirar y recoger las pelotas porque es lo que harán miles de veces antes de ser buenos. Recoge las pelotas incluso cuando estés cansado y frustado de tirarlas. Sólo continúa levantándolas.

Cada vez que aprendo una nueva maniobra con los malabares, vuelvo a tirar y recoger. La primera vez que traté de aprender a hacer malabares con bastones lancé un bastón al aire y su mango de madera golpeó muy fuerte mi clavícula, dejándome un moretón. Lancé los bastones en el armario, pensando que nunca podría aprender a hacer malabares con ellos. Un año después, los saqué del armario y decidí intentarlo otra vez. Ahora puedo hacer malabares no sólo con bastones, sino con cuchillos e inclusive con antorchas encendidas. Cualquiera que esté dispuesto a levantar las pelotas, bastones, cuchillos o antorchas una y otra vez puede aprender a hacer malabares. Para convertirte en una persona "Libre de quejas", solamente tienes que cambiar la pulsera de una mano a otra y empezar una y otra vez...

Tal vez te preguntes: "¿Cuándo es que digo una queja y cuándo una verdad?" De acuerdo con el doctor Robin Kowalski: "Ya sea que la verdad refleje una queja o no... depende de si el hablante experimenta una insatisfacción interna o no".[1] Las palabras en una queja y en una verdad pueden ser idénticas; lo que las diferencia es tu intención, tú energía detrás de ellas. La etapa de la Incompetencia consciente trata en su mayoría de lograr que nos demos cuenta de lo que decimos y, aún más importante, de la energía que hay detrás de lo que decimos.

Después de un poco más de dos meses con el reto de los "21 días" y de numerosos intentos de volver a empezar, finalmente logré cumplir 20 días sin quejarme. ¡Un día más y lo lograría! Podía ver la línea de meta y la estaba cruzando. Aquella noche durante la cena con mi familia, comenté algo que había acontecido antes en el día y, sorprendido, grité: "¡Oh, no! ¿Eso fue una queja?" Gail sonrió y dijo: "Corazón, si tienes que preguntarlo, probablemente sí es una queja". Moví mi pulsera. Día 1, aquí voy otra vez. Si tienes que preguntarlo, probablemente es una queja. Co-

[1] Kowalski, R. M. (1996), "Complaints and Complaining: Functions, Antecedents, and Consequences", *Psychological Bulletin*, p. 181.

mienza otra vez y recuerda que esto es para transformar tu vida, no solamente para terminar esta experiencia. No es una carrera, es un proceso.

Es una queja si quieres que la persona o situación cambie. Si lo quieres de una manera diferente de lo que es, es una queja y no una verdad. Mientras escribo esto, estoy sentado en la estación del tren en San José, California. Mi tren estaba programado para salir a las 9:00 de la mañana. Y ahora son las 10:30 y me acaban de informar que la nueva hora de salida es a las 12:00, tres horas más tarde. Dependiendo de cómo leas lo que he escrito, puede que pienses que me estoy quejando. Pero yo sé el tipo de energía en esta situación. Estoy sentado en la plataforma del tren, disfrutando de una mañana de primavera y de una taza de té de canela mientras estoy compartiendo algo que me apasiona con ustedes. Estoy muy feliz. Muy agradecido. El retraso del tren es una bendición porque hago lo que me gusta en un ambiente hermoso.

Mmmm, pero ¿qué si no quiero esperar? Tal vez si me quejo en voz alta y con ira con el agente de viajes, o si me quejo con la mayor cantidad de personas pueda apresurar la salida del tren. ¿Eso funcionará? Claro que no. Y aún así a menudo vemos esta clase de comportamiento. El tren llegará aquí cuando tenga que llegar, y cuando lo haga será la hora propicia.

Recientemente fui entrevistado para un programa matutino de radio. Uno de los anunciadores dijo: "Pero mi trabajo es quejarme y me pagan muy bien por hacerlo". "Está bien", dije, "y en una escala del uno al diez, ¿qué tan feliz eres?" Después de un momento, dijo: "¿Existe un número negativo?" Quejarnos nos puede beneficiar de muchas formas, inclusive económicamente, pero ser feliz no es uno de los beneficios.

Hemos comentado que nos quejamos porque obtenemos beneficios psicológicos y sociales. Sociólogos y psicólogos teorizan que también nos quejamos como una manera de hacernos parecer más presumidos. Por ejemplo, aunque la cocina de un restaurante sea excelente, es posible que una persona se queje de que el nivel de la comida no está a la altura de sus estándares. Ésta es una manera de hacerle saber a la gente que escuchó que él o ella tienen de hecho altos estándares sociales. La persona que se queja está diciendo que es una conocedora de la buena comida, y está implícito que su gusto refinado se deriva de muchas experiencias de comida de alta categoría. Como el personaje de Rodney Dangerfield en la película *Caddy Shack*, cuando le dice al mesero en el exclusivo Bushwood County Club: "Ey, dile al cocinero que ésta es comida de perro de baja calidad". La persona que se queja está diciendo: "Tengo un gusto tan refinado que esto no me impresiona". De nueva cuenta, quejarse es presumir.

Sólo pregúntate: ¿la gente que es segura de sí misma presume? La respuesta es no. Las personas que tienen una buena autoestima, que disfrutan sus destrezas y aceptan sus debilidades, que se aceptan a sí mismos no necesitan crear una buena impresión ante los ojos de otros; estas personas no presumen. Ellas se sienten bien consigo mismas y no necesitan decir a los demás lo maravillosas que son. De igual forma, ellas no necesitan quejarse para obtener los beneficios neuróticos de hacerlo. En *The Lazy Man's Guide to Enlightenment,* Thaddeus Golas lo simplifica: "Amarse a uno mismo no es asunto de elevar tu ego. El Egocentrismo es la prueba de que vales mucho después de haberte hundido en las profundidades del odio por tu persona. Amarte a ti mismo disolverá tu ego y sentirás que no necesitas probar que eres superior".

Una persona que es insegura, que duda de su valor y cuestiona su importancia, presumirá y se quejará. Ellos hablarán de sus logros, esperando ver la aprobación reflejada en los ojos de sus escuchas. Ellos también se quejarán de sus cambios para obtener compasión y como forma de excusar sus deseos no realizados. La verdad es que ellos se quejan porque creen que no merecen lo que desean. La falta de valor propio los lleva a apartar con sus quejas lo que ellos dicen querer.

Entiende: todo aquello que desees te lo mereces. Deja de inventar excusas y logra tus sueños. Si estás diciendo cosas como: "Los hombres le temen al compromiso", "todos en mi familia son obesos", "no soy coordinado", "mi consejero espiritual me dijo que nunca lograría nada" y "mi padre abusa de mí", te estás haciendo la víctima. Las víctimas nunca son vencedoras. Y tienes que escoger cuál de los dos quieres ser.

Quejarse es como una nota de la madre de Epstein. ¿Recuerdas el programa *Welcome Back Kotter*? Juan Epstein, uno de los estudiantes de esta comedia, a menudo traía notas a la escuela para evitar hacer cosas. Por ejemplo, una nota decía: "Epstein no puede hacer el examen el día de hoy porque estuvo despierto toda la noche buscando una cura para el cáncer", firma "La mamá de Epstein". Desde luego, Epstein escribía las notas para evitar hacer exámenes u otras cosas. Nos quejamos para evitar hacer cosas o tomar riesgos. Las quejas parecen válidas, pero no son más que excusas y, como las notas en el programa que comentamos, son normalmente escritas por el personaje que la presenta: nosotros.

Y sé que es probable que muchas cosas difíciles, tal vez horribles, te hayan pasado. Como a muchos de nosotros. Puedes contar tu historia siempre, tener la razón acerca de lo que pasó, y que esto sea una excusa que te limite por el resto de tu vida. O puedes pensar en una resortera. ¿Qué determina qué tan lejos llegara una piedra lanzada con una resortera? La respuesta es: que tanto tires de la liga de ésta. Si conocieras la vida de las personas exitosas, te darías cuenta de que sus logros nada tuvieron que ver con sus obstáculos en la vida, sino de ellos mismos. Ellos tomaron lo que les sucedió y lo usaron para crecer. Ellos dejaron de decir a todos lo mal que estaban y comenzaron a buscar las cosas buenas en las dificultades. Y buscándolas, las encontraron. Su resortera fue tensada hasta el máximo y el resultado fue que llegaron más lejos.

Para que una piedra pueda ser arrojada con una resortera, tiene que ser liberada. Debes dejarla ir. Lo mismo sucede con las dificultades y experiencias dolorosas en tu vida: ¡déjalas ir!

Cuando mi primera esposa, Liese, me abandonó me dijo que una de las razones principales fue mi inseguridad. Era muy inseguro y eso la hartó. Constantemente buscaba su aprobación y aceptación. Ahora lo entiendo. Trataba de compensar mi inseguridad siendo escandaloso, crítico y quejándome de otros. Me la pasaba diciéndoles a todos lo maravilloso que era o criticando a otros para hacerme parecer mejor por comparación. Tenía mucho rencor y lo desquitaba con todos. Recuerda: aquellos que son lastimados lastiman.

Finalmente vi la palabra *inseguridad.* Es lo opuesto de *seguro.* Estar seguro significa estar a gusto con algo; aceptando ese algo por lo que es. Por años, he intentado convertirme en una persona segura tratando de cambiar casi todo de mí. Comencé a entender que ser seguro con algo significa aceptarlo como es y no tratar de cambiarlo. Mi gran enseñanza durante esta experiencia fue el que para convertirme en una persona segura *tenía que volverme seguro con mi inseguridad.*

En vez de deprimirme, inventar excusas o cambiar el foco de atención con mis críticas y quejas hacia otros, tenía que aceptar aquellos tiempos difíciles de inseguridad y apoyarme a mí mismo durante ese periodo. Cuando me sentía incómodo, triste, débil o poco valioso (lo cual sucedía a menudo), me decía a mí mismo: "Está bien; sólo sigue adelante sintiéndote como te sientas. Estás bien sintiéndote así".

Fue un milagro. Conforme aprendí a ser más seguro (sentirme cómodo) con mi inseguridad (sentirme incómodo), los momentos de incomodidad comenzaron a ser efímeros y menos frecuentes. De igual forma, como no puedes criticar a una persona por su transformación positiva, no puedes criticarte a ti mismo por lograr un cambio positivo. Algunas veces cuando mi voz interna es más crítica, tomo mi diario y dejo que se desahogue. En vez de discutir con ella, elogio lo que mi voz enojada escribió: "Vaya, hiciste un gran trabajo atacándome. Estoy seguro de que lo hiciste porque sólo quieres lo mejor para mí. Sé libre para expresar estos pensamientos en el momento que quieras". Sin ninguna defensa en contra de ellos, mis pensamientos críticos no son nada.

Todos tenemos un diablillo en nuestra cabeza. Ese diablillo es aquella agresiva voz interior. Busqué ser su amigo, y cuando le pregunté, me dijo que su nombre era Silvestre. Cuando pienso en Silvestre me imagino al Demonio de Tasmania, el de las caricaturas de *Bugs Bunny*. Él es un remolino gruñón, buscador de problemas que zumba en mi cabeza y crea caos. Cuando traté de sofocar sus comentarios sarcásticos, él se volvía más fuerte y ruidoso. Ahora, sin embargo, los halago y animo. "De verdad eres el mejor en hallar defectos en mí, y sé que lo haces porque me quieres", le digo. Cuando hago esto, tengo una imagen mental de Silvestre: está frente a mí con una mirada de sorpresa y sin saber qué hacer. Desconcertado, con sus labios fruncidos y sus ojos moviéndose rápidamente de un lado a otro, él no tiene la menor idea de qué decir.

En lo personal, quiero agradecer a Liese. El que me haya dejado fue el catalizador que necesitaba para emprender esta búsqueda. Fue la catarsis que me envió a lo más profundo de mi alma y me permitió compartir lo que he aprendido con el mundo. Gracias, Liese.

No te quejes con el fin de sentirte especial; abre los ojos a la verdad y ve que ya eres especial. Entre las definiciones de "especial" encontramos: "único, inconfundible, con una función en particular". Eres especial. Nadie exactamente como tú ha existido o va a existir. Nadie tiene tus ojos, huellas digitales, tus orejas o voz. Eres único, así como tu ADN. Incluso científicos han dicho que ninguna otra persona en el mundo tiene tu olor. ¿Qué tiene eso de particular? Eres una perfecta expresión del Infinito. Eres lo Divino en forma humana. Eres único y tienes algo maravilloso que dar a este mundo en este tiempo y que solamente tú puedes realizar. Eres perfecto inclusive teniendo aquello que llamas defectos.

A medida que Silvestre y yo nos fuimos haciendo amigos, comencé a querer aquellas zonas de mí que solía odiar. En vez de defectos, acepté estos atributos de mí como rarezas, idiosincrasias, cosas que me hacían ser quien soy. Pensar que podía cambiar hasta que llegara a apreciarme era una locura. Tanto me enfocaba en las cosas malas de mí que estaba seguro de que siempre encontraría más.

Poco después de que acepté la posición de ministro principal en la iglesia de la unidad cristiana (*Christ Church Unity*), una mujer me trajo una lista de las cosas que no le gustaban de la iglesia. Queriendo causar una buena impresión y hacer feliz a uno de mis nuevos feligreses, hice lo que pude para tratar de cambiar las cosas que le desagradaban. Tiempo después ella, en vez de venir y decirme "Gracias, ahora estoy más a gusto con la iglesia", me trajo otra lista de quejas. Cuando expresas lo que te desagrada, ya sea de ti, de tu trabajo, de tu familia, de tu salud, de tu economía, de tu iglesia, o acerca de cualquier cosa que no te guste, vas a encontrar más cosas que no te agraden. Recuerda: los semejantes se atraen. Si te aprecias a ti mismo y a otras personas y situaciones en tu vida, atraerás más cosas que disfrutar.

La primera vez que aparecí en *The Oprah Winfrey Show*, Oprah me preguntó: "¿Por qué la gente se queja del clima si todas las quejas del mundo no pueden cambiarlo?"

Primero que nada, no estoy seguro de que puedas cambiar el clima. Bueno, antes de catalogarme como excéntrico, déjame decirte que unos años atrás comencé a decirles a mis amigos que Dios y yo teníamos un acuerdo en el cual se decía que yo siempre tendría un buen clima. El verano pasado, en la iglesia, estábamos planeando un gran día de campo y una de las organizadoras quería saber qué íbamos a hacer en caso de que lloviera. "No va a llover", dije. "Dios y yo tenemos un acuerdo y yo siempre tengo buen clima." "Está bien", dijo ella, complaciéndome, "¿y si llueve?" "No me oíste, no va a llover", le volví a decir. "Si hablamos de eso, va a llover, así que mejor dejémoslo así." Bueno, está bien si piensas que fue coincidencia, pero aquel día no llovió y mi buena racha continúa. Y no me estoy quejando.

Haciendo a un lado el tema de si tenemos o no la habilidad de controlar el clima, ¿por qué nos quejamos del clima? Porque es seguro, quejarse es seguro. Es un nivel de conversación de energía baja en vibración. No es una amenaza para nadie, porque no estás llamándolos a niveles elevados de expresión.

Otra razón por la que quejarse es seguro es porque te trae de vuelta un recuerdo primigenio combinando la teología y la baja autoestima. Podemos tener miedo a que Dios (o, regresemos al principio cuando este miedo empezó, los dioses) nos pueda castigar porque las cosas van muy bien. En el maravilloso libro de Pearl Buck *La buena tierra*, el héroe, Wang Lung, es un campesino chino. Su mayor deseo es tener un hijo. Los hijos eran sumamente valorados en la China antigua, y las hijas eran consideradas esclavas que tenían que alimentar y vestir hasta que se las entregaras a otro hombre para que se casaran. Los hijos varones traían riquezas, las hijas costaban.

Para su alegría, la esposa de Wang Lung dio a luz un varón. Cuando la pareja caminaba por las calles cargando a su recién nacido lo cubrían de tal forma que los dioses no lo pudieran ver. Ellos decían: "Es una simple esclava, no un niño". Ellos temían que los dioses les quitaran a su hijo porque ellos no merecían la fortuna de tener uno.

Por culpa de nuestra baja autoestima, inseguridad o por ser educados con las expectativas de que "las buenas cosas no duran", creemos que Dios, el universo o como lo llames está esperando a castigarnos si las cosas van muy bien. Si así es tu religión, respeto tus creencias. Para mí, "Dios es amor" y "Dios está esperando para estrecharte" no para trabajar juntos. Nuestro miedo por la Divina retribución nos hace preocuparnos del hecho de que si hablamos de cómo las cosas van muy bien, éstas puedan salir mal. En realidad, lo opuesto es verdadero, ya que con nuestras palabras temerosas atraemos cosas que no queremos.

Hay un término en computación, BEBS, que significa "Basura Entra, Basura Sale". Esto se basa en que las computadoras son neutrales, impersonales y responden sólo a lo que se les ordena. Y si tú metes basura (códigos o comandos mal escritos) tendrás basura (malos resultados).

Cuando se trata de nuestra vida, lo opuesto es verdad: basura sale, basura entra. Cuando te quejas o lamentas respecto a cosas de tu vida (sacas la basura), estás cosechando más de estos cambios (basura entra). La buena noticia es que estás aprendiendo a detectar tus quejas y cambiarlas por nuevos comentarios positivos. Estás comenzando a realizar el cambio hacia la etapa de la Competencia consciente.

TERCERA PARTE

Competencia consciente

CAPÍTULO 5

El silencio y el lenguaje de la queja

Cualquiera que use la frase "es más fácil que quitarle un dulce a un niño" nunca ha intentado quitarle un dulce a un niño.

ANÓNIMO

La etapa de la Competencia consciente es de hipersensibilidad. Comienzas a darte cuenta de todo lo que estás diciendo. Mueves tu pulsera con menos frecuencia porque eres cuidadoso cuando hablas. Ahora estás hablando en términos más positivos porque comienzas a pensar las palabras antes de que salgan de tu boca. La pulsera morada ha pasado de ser una herramienta que te ayuda a darte cuenta cuando te quejas a ser un filtro a través del cual pasan tus palabras antes de decirlas.

Una familia que había realizado el reto "Libre de quejas" me comentó que durante la etapa de la Competencia consciente a menudo se sentaban a la mesa sin tener nada qué decir. Habrá periodos prolongados de silencio. Y esto es típico de una persona o familia en etapa de convertirse

TESTIMONIOS

Recibimos nuestras pulseras moradas y de inmediato nos dimos cuenta de que nuestras conversaciones giraban en torno al sarcasmo y a la crítica de los demás, así como de unos a otros. No queríamos mover nuestras pulseras y comenzar de nuevo, así que dejamos de hablarnos por uno o dos días hasta que descubriéramos una manera de hablar que no involucrara quejarse.

KIM MARTIN, KANSAS, MISSOURI

en alguien "Libre de quejas". Es ahora cuando comienzas realmente a vivir el consejo de tu madre: "Si no puedes decir nada bueno de alguien, mejor no digas nada".

Una vez que la demanda de nuestras pulseras moradas se incrementó al punto de poderlas hacer a la medida, consideramos quitarles la palabra *espíritu.* A pesar de que somos una iglesia, consideramos el programa "Libre de quejas" como un movimiento humano de transformación no religioso. Además, por haber sido escogido el programa por una variedad de grupos, así como de iglesias y religiones, no queríamos que la gente lo viera como algo religioso, sino como una manera de mejorar su vida siendo o no afectas a una religión.

Descubrí que la palabra "espíritu" viene del latín *spiritus,* que significa respirar. En la etapa de la Competencia consciente, una de las mejores cosas que una persona puede hacer es tomar un respiro en vez de decir todo lo que se le venga a la cabeza. Quejarse es un hábito y tomarse un respiro te da la oportunidad de escoger tus palabras más cuidadosamente. Como un recordatorio para darnos un tiempo en vez de quejarnos, dejamos la palabra *espíritu.*

El silencio nos da la oportunidad de hablar desde nuestro ser superior y no desde nuestro ser común. El silencio es un puente al infinito y, sin embargo, es algo con lo que muchos se sienten incómodos. Recuerdo que estábamos en nuestra casa del lago, era yo un adolescente y remaba hacia una pequeña isla que estaba a una milla de nuestra casa, para acampar solo. El silencio me dio la oportunidad de reconectarme conmigo mismo. Mientras me preparaba para ir a mi retiro, recuerdo que mi padre me gritó desde la orilla:

—¿Will?

—Sí, papá.

—¿A dónde vas?

—A acampar a Count's Island.

—¿Tú solo?

—Sí, papá.

Después de una pausa:

—¿Te gustaría llevarte una TV de pilas?

—No, papá... Gracias.

Después de otra pausa:

—¿Un radio?

—No, gracias.

Siempre recordaré cómo mi papá se encogió de hombros y caminó de vuelta a la casa. Amo a mi papá, pero a él casi no le gusta el silencio. Incluso duerme con una pantalla gigantesca al pie de la cama a todo volumen.

Si eres del tipo de persona que le gusta rezar, la etapa de la competencia consciente es óptima para profundizar en tus oraciones. Has alcanzado el punto en donde no quieres mover tu pulsera y probablemente desees una oración antes de hablar. Pide que las palabras que salgan de tu boca sean constructivas en vez de destructivas. Y, si no pasa así, mejor quédate callado. Cuando trabajé haciendo anuncios de publicidad en la radio, conviví con un hombre que rara vez hablaba. Después de conocerlo mejor, le pregunté por qué era así. Él me dijo: "Hace creer a la gente que soy más listo de lo que en realidad soy". Si simplemente no dices nada, las personas al menos te darán crédito por ser inteligente. Cuando decimos todo lo que se nos viene a la cabeza, no sonamos inteligentes, sino simplemente señalamos que no nos sentimos a gusto con el silencio, aunque sea por un momento.

Una de las maneras como sabemos que estamos con una persona que es especial para nosotros es por la cantidad de tiempo que podemos pasar con ella sin decir una palabra. Simplemente estamos a gusto con su presencia y disfrutamos de su compañía. Mucha plática sin sentido no mejorará el tiempo que pasamos con ella, sino que lo hará menos valioso. El hablar mucho transmite que no te sientes a gusto contigo mismo.

El silencio te permite reflexionar y seleccionar cuidadosamente tus palabras. Te permite hablar de cosas en las que te gustaría poner tu energía creativa, más que permitir que por tu incomodidad hables incansablemente y enlistes un conjunto de quejas.

Esta etapa que te lleva a convertirte en alguien "Libre de quejas" fue descrita en un correo electrónico que recibimos desde el Pentágono de una teniente coronel:

> Le escribo para informarle de nuestro progreso. Las 12 pulseras que nos enviaron fueron repartidas entre mis colegas, y hasta ahora hay una muchacha (que siempre ha sido callada y discreta) que ha tenido un extraordinario progreso. De hecho creo que ya llegó a los dos dígitos. El resto de nosotros, sin embargo, ha encontrado este reto más difícil de lo que pensábamos. Aun así, *ha* hecho algo muy importante por nosotros... cuando nos estamos quejando, nos damos cuenta, nos callamos, movemos nuestras pulseras, y terminamos lo que estábamos diciendo de manera más positiva. Todavía no he podido pasar del primer día; sin embargo, me he dado cuenta de que es una herramienta poderosa para la armonía en una oficina. Hemos podido reírnos de nosotros cuando nos estamos quejando y nos retamos unos a otros a encontrar una mejor manera de expresarnos. Le mandaré otro correo cuando alguien alcance la meta. (Todos están emocionados de ampliar el reto a más personas aquí en el Pentágono, así que seguimos adelante.) Feliz Día de la Fuerza Aérea.
>
> Cathy Haverstock

Mencioné con anterioridad que las palabras que usas cuando te quejas frecuentemente serán las mismas que usas cuando no lo haces. Es tu intención, la energía detrás de ellas, lo que dictaminará si es una queja o no. Comienza a darte cuenta de qué tan seguido y en qué contexto dices lo siguiente:

- "¡Por supuesto!"

- "¡Lo sabía!"
- "¡Es sólo mi suerte!"
- "¡Esto siempre me pasa a mí!"

Cuando algo sale mal y dices, "¡Por supuesto!" o "¡Lo sabía!", estás emitiendo el mensaje de que esperas cosas malas. El universo escucha esto y te manda más.

Recuerdo la primera vez que decidí escuchar cuidadosamente todo lo que decía; conocerlo fue la reflexión de mis pensamientos y saber que ellos crean mi realidad. Estaba utilizando la vieja camioneta pick-up de mi esposa para recuperar algunas cosas que tenía almacenadas. La vieja camioneta F-150 de Gail tenía varios miles de kilómetros con su motor original y gastaba cada treinta kilómetros más de tres litros... ¡de aceite! Constantemente le teníamos que poner aceite a la camioneta y mantener un recipiente con aceite en el auto por si se necesitaba.

Antes de partir en este viaje de más de 160 kilómetros, me aseguré de que las reservas de aceite estuvieran llenas e invité a nuestro perro Gibson a trepar en la cabina para que me acompañara. Gibson es un *kelpie* australiano y Gail lo llamó Gibson. Gail me dijo que si un australiano iba a dormir a los pies de su cama, preferiría que fuera Mel Gibson.

Me tomó varias horas conducir desde nuestra casa en Aynor, Carolina de Sur, al almacén en Manning y cargar mis cosas en la camioneta. Mientras conducía de regreso, decidí tomar un atajo y dirigirme hacia Greeleyville. Viví en Manning y conocía muy bien el camino a Greeleyville. De hecho, en los fines de semana solía ir en bicicleta a Greeleyville ida y vuelta para ejercitarme. Es un camino de veintiún kilómetros con muy poco tráfico.

A medida que fue anocheciendo, la luz de "checar el motor" se encendió. Mi manera común de pensar en esa situación hubiera sido: "¡Ay, no! Estoy en problemas". En vez de pensar eso, mire a Gibson y le dije: "Todo va a salir bien". En el fondo pensé que estaba un poco loco. Como dije anteriormente, conocía muy bien este tramo del camino. En los veintiún kilómetros del trayecto sólo había una o más docenas de casas y no llevaba mi teléfono celular.

El motor de la camioneta tronaba; aun así, continuó por medio kilómetro o más hasta que finalmente se apagó. "Todo va a salir bien", me dije, intentando que sonaran mis palabras como si realmente lo creyera. La camioneta comenzó a ir más lento hasta que finalmente se detuvo en frente de una de las pocas casas que estaban en este tramo del camino. "¡Por supuesto!" dije, celebrando el momento pero asombrado de lo afortunados que habíamos sido. "Tal vez esté alguien en casa y nos permita usar su teléfono", pensé. "Puedo llamarle a Gail y ella puede venir por mí." Entonces recordé la cama que había cargado en la camioneta: "Preferiría poder conducir a casa el resto de la noche y no tener que dejar mis cosas a un lado del camino. No tengo idea de cómo es que todo va a salir bien, pero voy a creer que así será".

Recuerden, ésta no era mi manera normal de actuar en tales situaciones. En el pasado, me hubiera salido de la camioneta y probablemente hubiera hecho algo más útil, como maldecir y pegar a las llantas. En vez de eso, cerré mis ojos y vi a Gibson y a mí llegando a casa. En mi visión, era de noche —la misma hora que en ese momento— y estaba usando la misma ropa que traía puesta. Me tomé el tiempo para sentarme por un momento y asimilar la visión antes de caminar hacia la puerta de la casa y tocar el timbre.

Cuando escuché gente moviéndose en la casa, de nuevo dije: "¡Por supuesto!", y me aseguraba a mí mismo de que las personas en esta única casa que se podía ver a kilómetros de distancia estaban en el preciso momento en el que nuestra camioneta se averió. Un hombre abrió la puerta y se presentó. Cuando le expliqué que mi camioneta se había averiado y le pregunté si podía usar su teléfono, él miró en la oscuridad hacia donde se encontraba la camioneta y preguntó: "¿Qué camioneta tiene?" "Una Ford", le dije. Él sonrió y añadió: "Soy el jefe de servicio en la concesionaria de camionetas Ford. Déjeme traer mis herramientas y echarle un vistazo".

"¡Por supuesto!", dije mientras él iba por sus herramientas. "Esto está comenzando a salir bien."

Sostuve una linterna por quince minutos mientras el hombre trataba de descubrir cuál era el problema debajo de la capota. Finalmente se volteó y dijo: "El problema está en el sistema de inyección. Necesita una pequeña parte, que no cuesta más de diez o veinte pesos, pero desafortunadamente no tengo ninguna de ésas en mi casa. Lo que tiene —continuó— es más un problema de bombeo que mecánico".

"No hay problema", le dije. "¿Entonces tal vez sólo utilice su teléfono?" "Bueno", contestó, y agregó: "Usted tiene un problema de bombeo y mi padre está de visita de Kentucky. Es plomero. Déjeme decirle".

Acariciando el pelo del cuello de Gibson y sonriendo con desvarío, le dije: "¡Por supuesto!", mientras el hombre entraba a su casa por su padre. Unos minutos después, el padre determinó el problema: "Necesita un tubo de cinco centímetros de largo y medio de ancho", dijo. "¿Como éste?", le preguntó su hijo sacando de su caja de herramientas un tubo de esa medida. "¡Sí, como ése!" dijo el padre. "¿En dónde encontraste uno así?" "Lo encontré en mi libreta de trabajo hace un mes, y lo guardé en mi caja de herramientas en caso de que un día llegara a necesitarlo."

"¡Por supuesto!"

En pocos minutos, Gibson y yo estábamos de vuelta en el camino. "Qué experiencia", le dije a Gibson. Todo salió de maravilla. En ese momento, la luz del aceite se encendió. Habíamos estado parados tanto tiempo que el aceite se había escurrido de la camioneta y estaba casi vacío el tanque. Viendo que no había casas por ningún lado, comencé a preocuparme pero me calmé, diciendo en voz alta: "¡Si funcionó una vez, puede volver a funcionar!" Mientras conducía, volvió a suscitarse la imagen de Gibson y yo llegando esa misma noche sanos y salvos a nuestra casa. Dando la vuelta hacia Greeleyville, entré a lo que era la única gasolinera del pueblo. El dueño estaba cerrando el lugar mientras iba entrando. "¿Le puedo ayudar en algo?", me preguntó. "Necesito aceite", le dije. Volviendo a prender las luces del lugar, dijo: "Tengo lo que necesita". Metí las manos a las bolsas de mi pantalón sacando todo el dinero que traía. Al paso en el que la camioneta iba tirando aceite, supe que necesitaría por lo menos cuatro cuartos para llegar a casa y sólo traía conmigo cincuenta pesos. Tomé dos cuartos, que era lo único que podía pagar. Los tomé y los coloqué en el mostrador para pagar.

"¿Vio la otra marca?", preguntó el dueño. "No", le dije. Y caminó hacia los estantes conmigo detrás de él siguiéndolo. "Aquí está", me dijo. "Es una buena marca, pienso yo que mejor que la que se está llevando, además de que está en oferta a mitad de precio". Tratando de no mostrarme muy emocionado, tomé cuatro cuartos y los llevé al mostrador. A las 11:17 de aquella noche, Gibson y yo llegamos sanos y salvos a nuestra casa.

"¡Por supuesto!"

Una de las preguntas que con más frecuencia me hacen es: "¿Pero no necesitas quejarte para conseguir lo que quieres?" Podrías mejor tener lo que deseas expresando lo que quieres en vez de quejarte de cómo son las cosas. Hace unos días mi teléfono celular sonó y el identificador de llamadas decía "Número desconocido". Estaba ocupado y no contesté, y la persona que llamó no dejó un mensaje. Aproximadamente cada hora después de eso, comencé a recibir llamadas del mismo "Número desconocido" sin ningún mensaje. Finalmente, contesté esa llamada y escuché una grabación de mi compañía telefónica: "Éste es un mensaje importante para Mary Johnson (no es su nombre verdadero)... Si eres Mary, presiona el uno. Si eres otra persona, presiona el tres".

Presioné el tres, pensando que la compañía se daría cuenta de que habían llamado a la persona equivocada y así dejarían de hacerlo. No lo hicieron. Casi cada hora, el teléfono sonaba desde un "Número desconocido". Cuando contestaba escuchaba el mismo mensaje amigable y computarizado. Apreté el tres repetidas veces, pero las llamadas continuaron.

Las personas cometen errores, sé que yo lo hago. Y las compañías son sólo grandes grupos de personas haciendo las cosas lo mejor que pueden. Así que, después de un par de días de llamadas a cada hora, llamé a la compañía de celulares, expliqué la situación y me aseguraron que las llamadas pararían, pero continuaron.

Antes de comenzar el reto de los 21 días consecutivos "Libre de quejas", probablemente hubiera llamado otra vez a la compañía, preguntado por un supervisor y fastidiado a aquella pobre persona. Además, les hubiera comentado a todos con los que entrara en contacto la terrible injusticia por la que estaba pasando y todas las molestias que estaba sufriendo.

En vez de eso, volvía a llamar y le dije a la persona de servicios al cliente: "Sé que los errores pasan y sé que esto no es su culpa. Me he propuesto no recibir esas llamadas de su compañía otra vez y estoy en la mejor disposición de trabajar con ustedes hasta que encontremos el problema y lo arreglemos juntos". En diez minutos, ella ya había encontrado el problema (habían puesto mi número telefónico como el número de otra persona en su computadora) y las llamadas cesaron.

Fui capaz de conseguir el resultado que quería sin necesidad de que mi presión arterial subiera o de enojarme. Tampoco involucré a mis amigos, compañeros de trabajo y familia en este asunto ya que no me quejé con ellos de esa situación. En vez de eso, acudí con alguien que podía ayudarme, le expliqué lo que quería y me mantuve concentrado.

Tienes el derecho a tener lo que desees. Para lograr esto, no hables del problema, no te centres en él. Concéntrate más allá del problema. Visualízalo resuelto. Habla solamente acerca de lo que quieres y sólo con la persona que te lo puede proporcionar. De esta manera reducirás el tiempo de espera de lo que buscas y serás más feliz en el proceso.

"¡Pero si todas las grandes cosas de nuestros país comenzaron con personas quejándose... piensa en Thomas Jefferson y Martin Luther King!", señalaba un correo electrónico que había recibido.

Comprendí que en cierto modo estaba de acuerdo con la mujer que había mandado el correo. El primer paso hacia el progreso es la insatisfacción. Pero si nos quedamos en la insatisfacción, nunca más avanzaremos a mejores panoramas. Y aquellos que se quejan automáticamente tienen como destino el mismo y triste puerto del que zarparon. Debemos enfocarnos en lo que queremos que suceda en vez de concentrarnos en lo que no queremos. Quejarse es enfocarse en lo que no queremos que suceda.

¿Eran los más grandes líderes de los Estados Unidos también las personas que más se quejaban? Tendría que decir que no. Estos importantes hombres y mujeres permitieron que la insatisfacción los llevara a grandes visiones, y su pasión por estas visiones inspira a otros a seguirlos. Su incesante enfoque en un mejor futuro eleva el palpitar colectivo de esta nación. Su método de transformar nuestra conciencia como nación y, como resultado, nuestro futuro fue resumido por Robert Kennedy: "Existen aquellos que miran las cosas de la manera en la que son y se preguntan ¿por qué? Yo sueño con cosas que nunca fueron y me pregunto ¿por qué no?"

El 28 de agosto de 1963 el reverendo Martin Luther King, Jr., no se paró en los escalones del Monumento a Lincoln para decir: "¿No es terrible el modo cómo nos tratan?" No. Él pronunció palabras que despertaron emociones y produjeron reacciones en nuestra nación y que todavía hacen llorar a aquellas personas que las escuchan después de casi medio siglo. Él no se enfocó en un problema, sino más allá de éste. Declaró: "¡Tengo un sueño!" El doctor King creó en nuestra mente una vívida imagen de un mundo sin racismo. Él había "estado en la cima de la montaña" y con sus poderosas e inspiradoras palabras nos llevó también ahí a nosotros.

En la Declaración de Independencia, Thomas Jefferson claramente dijo los retos a los que se enfrentaron las colonias bajo el gobierno del Imperio Británico. Sin embargo, este documento, firmado el 4 de julio de 1776, no fue una letanía de quejas. Si lo hubiera sido, probablemente nunca hubiera atraído la imaginación del mundo, conseguido el apoyo de otros países y unificado las colonias.

En el primer párrafo de la Declaración de Independencia de los Estados Unidos se lee:

> Cuando en el curso de los eventos humanos se hace necesario para una persona disolver los lazos políticos que lo han conectado con otro y asumir entre los poderes de la tierra

el estado de igualdad y separación a los que las Leyes de la Naturaleza y la Naturaleza de Dios les dio derecho...

Por un momento, imagina que eres un colono de una de las trece colonias y trata de comprender esto: ... *el estado de igualdad y separación a los que las Leyes de la Naturaleza y la Naturaleza de Dios les dio derecho.* En el tiempo en el que Jefferson escribió esto, Inglaterra era la mayor potencia del mundo, y él declaró sin ninguna hipérbole que estas jóvenes y diversas colonias eran "iguales" a ese gigante político. Podrías escuchar la exclamación colectiva que esto inspiró entre los colonos, y la oleada de orgullo y entusiasmo. ¿Cómo pudieron haber aspirado a tan elevados ideales y creerse iguales a Inglaterra? Porque *las Leyes de la Naturaleza y la Naturaleza de Dios les dieron derecho.* Esto no era quejarse, sino una visión apasionante de un mejor futuro. Esto era enfocarse más allá del problema.

Rosa Parks no se sentó en la parte trasera del autobús y se quejó con todos acerca de la injusticia de tener que sentarse allí. La señora Parks se sentó en donde a ella le correspondía, es decir, con todos los demás sin importar el color de su piel. Ella no sólo vio más allá del problema, ella protagonizó la solución.

Hoy mantengo un sueño por todos esos visionarios. Puedo recordar que he escuchado la mayor parte de mi vida noticias de "negociaciones por la paz" en Medio Oriente. Y cuando me enteraba de lo que se discutía en las "negociaciones de paz", tenía la impresión de que más bien eran "negociaciones de guerra" o "si dejas de hacer esto, entonces dejaré de hacer las negociaciones". Los presidentes de los Estados Unidos, en diferentes momentos, han reunido a los líderes del Medio Oriente en un intento de que se reconcilien pese a sus "diferencias". Sin embargo, estas negociaciones se enfocan en las diferencias y es por eso que el progreso ha sido, en mi opinión, mínimo.

¿Y si en estas "negociaciones de paz" los líderes se reunieran para hablar de cómo serían las cosas si no hubiera desacuerdos entre ellos? ¿Y si se reunieran para construir un sueño colectivo de cohabitación pacífica y entendimiento mutuo?

Cuando estas verdaderas "negociaciones de paz" ocurran, las reglas deberán ser simples. En vez de hablar acerca de lo que está ocurriendo en el presente o de lo que ocurrió en el pasado, el enfoque debe fijarse exclusivamente en cómo serán las cosas una vez que se limen las asperezas entre ellos. Ellos se preguntarán: "¿Cómo se verá, sentirá, sonará y olerá la paz entre nosotros? ¿Cómo será cuando la guerra y los desacuerdos entre nosotros sean un recuerdo distante que sólo aparezca en los libros de historia?"

El objetivo de las negociaciones no puede buscar otro resultado que el deseado: la paz. Eso es todo. En estas negociaciones, una palabra no deberá ser pronunciada: "cómo". La pregunta: "¿Cómo llegaremos a eso?" debe acordarse fuera de los límites del resultado. Tan pronto como las dos partes traten de encontrar el camino a su coexistencia en armonía, cuestiones de límites geográficos, remuneraciones, desarmes, limitación de armas, diferencias culturales y teológicas, perspectivas opuestas de cualquier tipo traerán de nuevo el enfoque a los problemas actuales. Y ese enfoque los mantendrá ocupados con esos problemas.

Abraham Lincoln una vez dijo: "La mejor manera de destruir a un enemigo es haciéndolo tu amigo". El primer paso para dicha transición comienza en nuestra propia mente. Y nuestras palabras le dicen al mundo lo que estamos pensando.

Mientras atraviesas por esta etapa de transformación, está bien que uses frases como "¡Por supuesto!", "¡Lo sabía!", "¡Es sólo mi suerte!" y "¡Esto siempre me pasa a mí!", pero sólo cuando percibas que algo bueno está pasando. Utiliza estas exclamaciones como agradecimiento cuando las cosas vayan bien.

Tengo un amigo que siempre dice: "Soy el hombre más afortunado del mundo, todo me sale bien". Tiene una esposa y una familia hermosa, tiene un negocio exitoso, ya era multimillonario a los treinta años y goza de buena salud. Podrás decir que sólo tiene suerte, con lo cual él está de acuerdo. Yo digo que es su creencia en que es afortunado lo que lo hace afortunado. Así que, ¿por qué no intentar lo que le ha funcionado a él? Cuando algo vaya bien para ti, no importa qué sea, di: "¡Por supuesto!"

Nuestras palabras son poderosas. Y cuando cambiamos lo que decimos, comenzamos a cambiar nuestra vida. Hace un año, estaba conduciendo en la interestatal, me encontraba en el carril de máxima velocidad porque estaba conduciendo unos cuantos kilómetros por hora arriba del límite de velocidad. Delante de mí estaba una minivan avanzando diez kilómetros menos de lo permitido. Mi mente comenzó a vociferar: "Si van a conducir por debajo del límite de velocidad, ¿no saben qué se deben de cambiar de carril y dejar pasar a otros?" Unos días después, me encontraba de nuevo en el carril de máxima velocidad detrás de otro conductor precavido que iba considerablemente por debajo del límite de velocidad. De nuevo noté que el conductor iba detrás del volante de una minivan, y esta vez dije en voz alta lo que pensaba: "esto es desconsiderado".

Unos días después, mientras conducía acompañado de Gail y Lia, otra vez tuve que disminuir mi velocidad por un conductor que iba en el carril izquierdo a una velocidad muy por debajo de lo permitido, conduciendo —adivina— una minivan. Esta vez expresé mi queja a la familia. En las siguientes semanas la situación se repitió y siempre era una minivan. Comencé a darme cuenta de que las minivans con ciertos símbolos o calcomanías eran las causantes perceptibles de esto. Esta situación se convirtió en una molestia para mí y lo comenté con todo aquel que conocía. Pensé que era gracioso, una observación inteligente, pero comencé a notar que estaba sucediendo cada vez con mayor frecuencia. Finalmente, entendí que había determinado que "los conductores de minivans son maleducados e impiden la fluidez de la circulación". Como lo pensaba, esto me sucedía y se hacía realidad casi todas las veces que conducía.

Busqué una manera de reformular esta observación y pensé en las competencias de Nascar. Cuando hay un riesgo o peligro en una carrera de Nascar, aparece en la pista un carro insignia que disminuye la velocidad de todos los corredores. Los conductores se deben quedar atrás de éste hasta que el peligro desaparezca, haciendo la pista segura de nuevo. "¿Qué tal si las minivans son los carros insignias de la interestatal?" Pensé. Tal vez estén ahí para que disminuya mi velocidad y no me infraccionen o, peor, para que no provoque un accidente. Siempre que estaba en el carril de la izquierda con una minivan que me hacía disminuir la velocidad, les agradecía y me refería a ellos como los carros insignia. Esto comenzó a ser tan frecuente que me olvidé de que tenían otro nombre y comencé a referirme a las minivans como autos insignia. "Hay un carro insignia delante de nosotros", le decía a mi familia, "será mejor que disminuya la velocidad".

Lo interesante es que cuando cambié mi forma de ver las minivans y comencé a apreciarlas por hacerme disminuir la velocidad, era raro encontrarme una frente a mí en el carril izquierdo. Hoy en día, es extremadamente raro para mí que me encuentre una minivan que me obligue a disminuir la velocidad en mi viaje diario al trabajo, y cuando me encuentro una lo agradezco.

Al cambiar mi forma de ver a las minivans y percibirlas como autos insignia, cambié lo que ellas eran para mí y se convirtieron en un regalo en vez de un problema. Si comienzas a llamar a las personas o eventos de tu vida de una forma que estimule tu energía positiva, encontrarás que ya no son una molestia sino que de hecho pueden ser de gran ayuda. Cambia las palabras que usas y observa cómo cambia tu vida. Por ejemplo:

En lugar de...	*Prueba con...*
Problema	Oportunidad
Tengo que	Voy a
Adversidad	Reto
Enemigo	Amigo
Atormentador	Maestro
Dolor	Señal
Exijo	Me gustaría
Queja	Petición
Lucha	Aventura
Hiciste eso	Creé esto

Haz el intento. Al principio puede ser incómodo, pero observa cómo va cambiando tu actitud acerca de una persona o situación. Y mientras cambies tu manera de expresarte, la situación también cambiará.

Puedes crear la vida que desees. Crecí creyendo que cuando morimos, si somos afortunados, iremos al cielo. Un día mientras leía la Biblia me quedé sorprendido por un comentario de Jesús: "El Reino de Dios está a nuestro alcance". Y comencé a preguntarme: "Tal vez ya estoy muerto y éste *es* el cielo". Mientras reflexionaba en esto, pensé en una cita de John Milton: "El espíritu vive en sí mismo y en sí mismo puede hacer un Infierno Celestial o un Cielo Infernal". Tal vez éste sea el cielo, o por lo menos yo podría hacerlo así.

Cuando le preguntan a alguien cómo está, he oído personas que se quejan sarcásticamente: "Otro día en el paraíso". He decidido adoptar esto como mi verdadera respuesta a esa pregunta. No siendo sarcástico, sino respondiendo sinceramente: "Es otro día en el paraíso", cuando preguntan acerca de mi bienestar. Al principio era incómodo, pero ahora se ha convertido en algo natural. He notado que este comentario hace sonreír con alegría a algunos y me recuerda que tengo la decisión en ese momento de estar contento o triste, de estar en el cielo o en el infierno.

Tú tienes la decisión de crear la vida que vives con las palabras que usas. Elige con sabiduría.

CAPÍTULO 6

Críticos y partidarios

La crítica es más fácil que el trabajo.

ZEUXIS

La crítica es quejarse con un filo cortante. Por lo general está dirigida hacia alguien con la intención de menospreciarlo. Algunos piensan que la crítica es un modo efectivo de cambiar el comportamiento de alguien. Sin embargo, suele tener el efecto contrario.

En la introducción de este libro mencioné que mi familia y yo recientemente nos mudamos a una casa que está en una curva pronunciada en donde, lamentablemente, nuestra perra Ginger fue atropellada. Ya que vivimos a poca distancia de donde el límite de velocidad cambia de 40 a 90 km/h, las personas a menudo conducen muy rápido cuando pasan frente a nuestra casa. Esta situación me molestaba, sobre todo después de la muerte de Ginger.

Por lo regular, me la pasaba cortando el pasto con mi podadora mientras los carros pasaban volando. Les gritaba

TESTIMONIOS

Me estaba yendo muy bien con eso de ser una persona libre de quejas. Ya llevaba algunos días y podía decir que mi vida estaba cambiando.

Mi esposo insistía en que lo dejara. Decía que simplemente ya no era divertido estar a mi lado. Creo que él piensa que quejarse es divertido y ya no me unía a él ni a sus quejas nunca más.

Esto me pone triste.

ANÓNIMO

a los conductores que disminuyeran su velocidad. En ocasiones no solamente les gritaba sino que también agitaba mis brazos en un intento por hacer que no fueran tan aprisa. Para colmo, me daba cuenta de que rara vez ellos disminuían su velocidad y desviaban la mirada para no verme mientras aceleraban. Una vez un carro deportivo amarillo pasó a mayor velocidad que todos los que habían pasado hasta entonces; no importó cuánto haya gritado y agitado mis brazos, la joven conductora manejó peligrosamente a alta velocidad enfrente de nuestra casa.

Un día, mientras estaba cortando el pasto del jardín trasero y Gail estaba en el delantero sembrando unas flores, noté que el *Porche speedster* amarillo se estaba aproximando, veloz como siempre. No hice nada, porque sentí que todo lo que hiciera por tratar de que disminuyera su velocidad sería en vano. Cuando el carro pasó enfrente de nuestra casa, noté un destello de las luces de freno y el carro disminuyó su velocidad. Estaba asombrado. Era la primera vez que veía que el carro deportivo no iba como bólido a una velocidad vertiginosa. También noté que la joven mujer, que normalmente se veía triste, estaba sonriente. Curiosamente, apagué la podadora y caminé al jardín delantero y le pregunté a Gail qué había ocurrido para que la mujer disminuyera su velocidad. Sin alzar la vista, Gail dijo: "Es fácil, sólo le sonreí y la saludé". "¿Qué?", expresé. "Le sonreí y la saludé como si fuera una vieja amiga, ella me sonrió y disminuyó su velocidad", afirmó Gail.

Por meses había tratado de que la mujer disminuyera su velocidad siendo crítico con ella. Intentaba hacerle saber que estaba mal por conducir como lo hacía. Gail la había tratado con amabilidad y ella había correspondido. Mientras pienso en esto, las cosas comienzan a tener sentido. La mujer que conducía no había podido escuchar mi diatriba gracias al sonido de la podadora y mis gestos probablemente me hacían lucir ridículo. Para ella, yo era el hombre enojado de la podadora. No me extraña por qué evitaba el contacto visual y manejaba con mucha prisa. Gail, por el contrario, fue vista como la señora linda y agradable que la trató como una amiga. Había sido crítico, mientras Gail la había tratado con aprecio. Nunca más volví a ver pasar a toda velocidad aquel auto deportivo amarillo. En vez de eso, siempre la vi conducir a una velocidad segura hasta que pasaba nuestro vecindario.

A nadie le gusta ser criticado. Y en vez de que disminuya lo que criticamos, nuestra crítica a menudo sólo sirve para expandirlo. Criticar significa encontrar defectos en alguien o en algo. Cuando criticamos a alguien, éste experimenta la necesidad de justificar su comportamiento. Las justificaciones surgen cuando una persona siente que se ha cometido una injusticia. Para los criticados, la crítica es una injusticia y ellos contraatacan con los medios a su alcance. En este caso, cuando yo le gritaba a aquella joven, ella continuaba acelerando como forma de justificar su derecho a hacerlo. Existía una manera mucho más efectiva y amable de hacer que ella disminuyera su velocidad, y Gail me la mostró.

Los grandes líderes saben que las personas responden más favorablemente al reconocimiento que a la crítica. La comprensión anima a las personas a superarse para recibir más aprecio. La crítica destruye y cuando degradamos a alguien le damos a esa persona permiso implícito de actuar de la misma manera en el futuro. Si criticamos a una persona por perezosa, por ejemplo, ésta lo acepta como una realidad cuando se refieran a ella. Esto le da permiso implícito de actuar como una persona digna de ser llamada "floja", y así el comportamiento se repite.

La necesidad número uno que todos tenemos es la de ser reconocidos, ser valorados, sentirnos importantes. Incluso si somos introvertidos por naturaleza, necesitamos la atención de otras personas, especialmente de aquellas que consideramos importantes para nosotros. Incluso cuando la atención sea negativa, como la crítica, la persona a menudo repetirá el comportamiento sólo para obtener la atención que desea. Rara vez ésta es una acción consciente; en vez de eso, es algo que se hace sin pensar. Todos queremos atención y la conseguiremos de cualquier manera. Y si la atención es crítica, la persona se ajustará a las expectativas del crítico.

La atención maneja el comportamiento. Permítanme subrayar eso: *la atención maneja el comportamiento.* A pesar de lo mucho que nos gustaría que fuera al revés, no lo es. Si criticamos a alguien, invitamos a futuras demostraciones de lo que estamos criticando. Esto es verdad para tu esposa, hijos, empleados y amigos. En la obra *Pigmalión* de Bernard Shaw, Eliza Doolittle le explica este fenómeno al coronel Pickering: "Verá, real y verdaderamente, aparte de las cosas que cualquiera puede escoger (la manera correcta de vestirse y hablar, entre otras cosas), la diferencia entre una dama y una niña angelical no es la manera como se comportan, sino la manera en la que son tratadas. Yo siempre seré una niña angelical para el profesor Higgins, porque siempre me trata como a una niña angelical y siempre lo hará; pero sé que puedo ser una dama para usted, porque siempre me trata como una dama y siempre lo hará".

Participamos mucho más en la creación de nuestra vida de lo que nos damos cuenta. Nuestros pensamientos acerca de las personas determinan no sólo la manera en la que ellos se verán para nosotros, sino también la manera en la que nosotros nos relacionaremos con ellos. Nuestras palabras dejan saber a las personas lo que nosotros esperamos de ellas y de su comportamiento. Si las palabras son críticas, entonces el comportamiento reflejará las expectativas que fueron representadas por lo que dijimos.

Todos conocemos el caso de los padres que sólo se preocupan por las bajas calificaciones de su hijo en vez de celebrar sus buenas calificaciones. El niño lleva a casa su boleta de aprovechamiento con cuatro dieces y un siete; el padre le pregunta: "¿Por qué sacaste siete?" La atención se enfoca en el resultado más bajo en vez de los otros cuatro excelentes logros. Algún tiempo atrás, las calificaciones de nuestra hija Lia comenzaron a bajar y nosotros, siendo unos padres inteligentes, amorosos y atentos, nos avocamos en las bajas calificaciones en un intento por inspirarla para que mejorara. Para nuestra sorpresa, sus otras calificaciones también comenzaron a bajar. A tiempo, Gail y yo nos dimos cuenta de que sus calificaciones eran exactamente eso: *sus* calificaciones. Comenzamos a celebrar sus buenas calificaciones y le preguntábamos si estaba conforme con su boleta. Si Lia respondía "sí", aun cuando tenía calificaciones más bajas de lo que nosotros esperábamos de ella, no le decíamos nada. Muy pronto, sus calificaciones comenzaron a subir y ya lleva algunos años sacando puros dieces.

"Es mi trabajo quejarme y ser crítico." He escuchado esto en un gran número de personas de los medios de comunicación, y escucharlo me entristece. Hice la carrera de periodismo en radio y televisión y me enseñaron que el trabajo de un periodista es el de reportar los hechos, explicar lo que está sucediendo. Sin embargo, algunas personas de los medios de comunicación sienten que su trabajo es el de poner a las personas debajo de una lupa. Esto se hace con el único fin de que la gente oiga o vea las noticias o que compren el periódico. Es acerca del *rating* y de los ingresos. Es importante que se nos informe no que se nos manipule, y la crítica es usualmente usada como una manera de influir en las personas.

Con esto no digo que no debería de haber críticos de cine, libros o teatro. Un buen crítico (prefiero el término *analista*) puede ahorrarnos tiempo y dinero haciéndonos saber si una película, libro u obra de teatro es merecedora de nuestro tiempo y dinero. Hay un analista de cine al que le suelen gustar las mismas películas que a mí, y ya que su trabajo es el de ver todas las películas y hacer una crítica de ellas, considero su aportación valiosa y confiable. Cuando leemos una crítica, podemos darnos cuenta de si la persona es un crítico o un analista. Anoche en la cena, leí una crítica de una película que se estrenaba esta semana. La crítica contenía largas y arcanas palabras además de referencias esotéricas de películas que decían poco acerca de ésta y su autor aparentaba decir: "Mira qué inteligente soy".

Como con otro tipo de queja, la crítica puede ser una forma de presumir, una manera de decir: "Mi gusto es tan refinado que lo que me ofreces no está a mi altura". ¿Vieron la película *Hitch: especialista en seducción*? El personaje de Kevin James está saliendo con una heredera a la que rodean personas arrogantes. En una fiesta, hay una discusión de restaurantes, películas, obras de teatro e inauguraciones de galerías de arte, todo lo discutido es etiquetado como "repugnante" por dos jóvenes. Dicen: "Todo es desagradable para nosotros, nada está a nuestra altura porque somos muy sofisticados".

Escucha cuidadosamente tus palabras en la etapa de la Competencia consciente y busca las críticas. Reconoce que estás perpetuando lo que críticas. Cuando me encontraba en esta etapa del programa, la llamaba la etapa "no quiero mover mi pulsera". Comenzaba a hablar y notaba una crítica formándose en mi cabeza; en seguida decía: "No voy a mover mi pulsera". Intenta esto cuando sientas que vas a decir algo que piensas y no es íntegro; simplemente di: "No voy a mover mi pulsera".

Otra cosa saludable que puedes hacer durante esta etapa es solicitar un "Compañero Libre de quejas". Encuentra a alguien que también esté realizando el programa y apóyense mutuamente. *Nota*: ésta *no* es una persona que tengas que observar meticulosamente para ver si se queja, critica o chismorrea. *No* tienes que señalar cada vez que se queje. Si lo haces, te estarás quejando y tendrás que mover tu pulsera. Ésta es una persona con la que puedes compartir tus logros y la cual te alentará para que continúes cada vez que tengas que volver a empezar. Encuentra una persona que te pueda ayudar a replantear de manera positiva las situaciones de tu vida, alguien que esté "ahí para ti", ayudándote a encontrar lo positivo en cualquier situación por la que estés pasando. Necesitas un porrista, alguien que te aliente cuando estés tentado a renunciar, una persona que quiere que lo logres.

Ocho años atrás conocí a un hombre que ayudó a alguien a quien amaba profundamente, a replantear lo que muchos pensarían era una situación trágica. Todo comenzó un día cuando vi un letrero al lado del camino.

El letrero estaba hecho con un pedazo de cartón maltratado engrapado en lo que parecía ser uno de eso palos que regalan en la ferretería para mezclar la pintura. Antes de cruzar el puente sobre el río Waccamaw, a las afueras de Conway, Carolina del Sur, vi el letrero. Ahí, puesto en el suelo en medio de la basura y los hormigueros de las hormigas de fuego:

TOCA EL CLAXON
SI ERES FELIZ

Moví mi cabeza por la ingenuidad del creador del letrero y continué conduciendo con mi claxon en silencio.

Refunfuñé para mí mismo: "Qué tontería". ¿Feliz? ¿Qué es "ser feliz"? Nunca he sabido lo que es ser feliz. Conozco el placer. Pero incluso en mis momentos de mayor placer y satisfacción, me pregunto cuándo va a suceder algo malo que me lleve de vuelta a la "realidad". "Ser feliz es una estafa", pensé. La vida es dolorosa y desafiante, y si las cosas van bien hay algo a la vuelta de la esquina que te va a quitar la "fantasía de felicidad" demasiado rápido. "Tal vez seas feliz después de morir", pensé, pero ni siquiera estaba seguro de eso.

Un par de semanas después, un domingo, Gail y Lia —que en ese tiempo tenía dos años— iban en el carro conmigo. Íbamos en la autopista 44 hacia la playa Surfside para ver a unos amigos. Íbamos cantando las letras del casete *Las Canciones Favoritas de los Niños,* riendo y disfrutando de nuestro tiempo juntos. Mientras nos acercábamos al puente sobre el río Waccamaw, volví a ver el letrero y, sin pensarlo, toqué el claxon.

"¿Por qué?", preguntó Gail. "¿Había algo en el camino?"

"No", le respondí. "Hay un letrero al lado del camino que dice: 'Toca el claxon si eres feliz'... Me siento feliz, así que toqué el claxon".

El letrero para Lia tenía sentido. Los niños no tienen un concepto del tiempo, responsabilidades de impuestos, decepciones, traiciones, o alguna de las otras obligaciones o heridas que los adultos tienen. Para ella, la vida es en el momento y el momento está destinado para la felicidad, tocar la bocina y celebrar este momento feliz.

Más tarde, aquel día, mientras regresábamos a casa, pasamos por el letrero y Lia gritó: "Toca el claxon, papi, ¡toca el claxon!" En este momento, mi agradable perspectiva de hacía un rato de anhelar un tiempo con mis amigos y mi familia había cambiado al pensar en las muchas cosas que me esperaban en el trabajo del siguiente día, muchas de las cuales me tenían angustiado. Estaba todo menos feliz; aun así, toqué la bocina para satisfacer a mi hija.

Lo que pasó después nunca lo olvidaré. Dentro de mí y sólo por un momento, me sentí un poco más feliz de lo que me sentía segundos antes, como si haber tocado el claxon me hiciera feliz. Tal vez era un tipo de respuesta pavloviana. Tal vez el haber oído el claxon causó que algunos de los buenos sentimientos que tuve la primera vez que lo toqué volvieran a aparecer.

Desde entonces, no podíamos pasar ese tramo de la carretera sin que Lia me recordara que tocara el claxon. Me di cuenta de que cada vez que lo hacía mi termostato emocional se elevaba. Si en una escala del uno al diez me sentía emocionalmente un dos, cuando tocaba el claxon mi felicidad se incrementaba varios puntos. Me di cuenta de que esto sucedía cada vez que pasábamos el letrero y tocaba el claxon. Comencé a tocar el claxon cada vez que pasaba por ahí, incluso si iba solo.

Un día, Gail llegó a casa conteniendo la risa. Conociéndola, sabía que su actitud tenía que ver con Lia y para no avergonzar a ésta, esperé a que se fuera a jugar a su cuarto y le pregunté a Gail qué había sido tan gracioso. Gail se rió a carcajadas. Tratando de recuperar la respiración, me comentó lo que había sucedido. "Esta tarde", comenzó, "estaba conduciendo y hablando con Lia cuando cambié de carril y accidentalmente le corté el paso a otro conductor. Nunca vi el carro porque estaba en el punto ciego del espejo. Casi saco a ese pobre automovilista del camino".

De nueva cuenta ella se rió. Yo no entendía qué tenía eso de gracioso.

Gail continuó: "El conductor del otro carro se enojó tanto que se pegó a un lado de nosotros, nos mostró su dedo de en medio y nos tocó el claxon".

Todos cometemos errores al manejar. Éste habría podido ser uno peligroso, así que me sentía preocupado no sólo por mi esposa e hija, sino también por el otro conductor. Pensé que ésta no era una situación para reírse y que mi esposa de cierta manera había perdido la cabeza. "¿Qué es tan gracioso?" le pedí que me dijera.

"Cuando el hombre tocó el claxon", continuó Gail, percibiendo mi preocupación y tratándose de contenerse, "Lia señaló al hombre y dijo: '¡Mira, mami, está feliz!' "

Me tomó un segundo asimilarlo y luego yo también me estaba riendo a carcajadas. Qué hermosa perspectiva tiene un niño. Gracias a nuestras experiencias con el letrero, cuando alguien tocaba el claxon significaba sólo una cosa para ella: esa persona estaba feliz.

El sentimiento positivo que tenía cuando tocaba el claxon al ver el letrero comenzaba a propagarse. Ansiaba llegar a esa sección del camino, e incluso antes de que llegara al letrero me di cuenta de que comenzaba a sentirme más feliz. A tiempo, cuando daba vuelta hacia la autopista 544, me percaté de que mi punto fijo emocional comenzaba a crecer. Todo aquel tramo de 21.5 kilómetros se convirtió en un lugar de rejuvenecimiento emocional para mí.

El letrero se encontraba en las estribaciones de la autopista al lado de algunos árboles que separaban las casas cercanas a un puente. A tiempo, me pregunté quién había puesto el letrero ahí y por qué.

En ese periodo de mi vida, yo vendía seguros a las personas en la comodidad de sus casas. Tenía una cita para ver a una familia que vivía a un kilómetro y medio del norte de la autopista 544. Cuando llegué a su casa, me dijo una mujer que su esposo había olvidado nuestra cita y que tendríamos que reprogramarla. Por un momento me sentí desanimado, pero mientras me alejaba del complejo habitacional, me di cuenta de que estaba en la parte trasera del bosque que rodeaba la autopista. Mientras conducía a lo largo del camino, traté de calcular en dónde estaba con relación al letrero "feliz", y cuando sentí que estaba cerca, me detuve en la casa más cercana.

La casa de un solo piso parecía hecha a mano, gris con adornos rojo oscuro. Mientras subía las escaleras color canela que conducían a la puerta principal noté que, aunque la casa era simple, estaba bien cuidada. Comencé a preparar lo que iba a decir si alguien me abría la puerta. "Hola", diría. "Vi un letrero de cartón en la autopista al otro lado del bosque y me preguntaba si ustedes sabrían algo". O tal vez:

"¿Ustedes son las personas 'Toca el claxon si eres feliz'?" Me sentía incómodo, pero quería saber más acerca del letrero que había tenido gran impacto en mi forma de pensar y en mi vida. Cuando toqué el timbre, no tuve la oportunidad de decir ninguna de las preguntas que había pensado.

"¡Adelante!" dijo el hombre con una cálida sonrisa de oreja a oreja. Ahora sí me sentía incómodo. "Ha de estar esperando a alguien", pensé, "y ha de pensar que soy esa persona". Aun así, entré a la casa y nos estrechamos las manos. Le expliqué que había estado pasando por la carretera, cerca de su casa, por casi ya un año y que había visto un letrero que decía: "Toca el claxon si eres feliz". Y que a mi juicio, su casa era la más cercana al letrero y me preguntaba si él sabía algo sobre el cartel. Tenía una sonrisa de oreja a oreja, me contó que él había puesto el letrero hace más de un año, y que yo no era el primero en detenerse y preguntar por el letrero.

Al escuchar un par de toques de claxon cerca de ahí, él dijo: "Soy entrenador en la preparatoria local. Mi esposa y yo disfrutamos vivir aquí tan cerca de la playa y queremos a las personas. Hemos sido felices juntos por muchos años". Sus claros ojos azules parecían penetrar los míos. "Hace poco, mi esposa se enfermó. Los doctores le dijeron que no había nada que pudieran hacer. Le dijeron que arreglara todas sus cosas y que le daban cuatro meses de vida; seis meses máximo."

Me sentí incómodo con el breve silencio que siguió al comentario; él no. "Al principio estábamos conmocionados", dijo. "Luego enojados. Luego nos abrazábamos y lloramos por lo que parecían días. Finalmente, aceptamos que su vida terminaría en poco tiempo. Ella se preparó para morir. Metimos una cama de hospital a nuestro cuarto y ella se acostaba ahí en la noche. Éramos ambos miserables."

"Un día estaba sentado en el escritorio mientras ella trataba de dormir", continuó. "Ella estaba con mucho dolor, le era difícil dormir. Sentí que me ahogaba en la desesperación. Me dolía el corazón. Y sin embargo, mientras me sentaba ahí, podía escuchar los carros que pasaban por el puente rumbo a la playa". Por un momento sus ojos voltearon hacia una de las esquinas del cuarto. Luego, como si recordara que estaba hablando con alguien, movió su cabeza y continuó con su historia: "¿Sabía que la *Grand Strand* —lo que las personas llaman los 96 kilómetros de playa a lo largo de la costa de Carolina del Sur— es uno de los mayores centros turísticos en los Estados Unidos?"

"Este... sí, sí lo sabía", le dije. "Más de trece millones de turistas al año vienen a las playas de aquí."

"Eso es cierto", me dijo. "¿Te has sentido más feliz que cuando estás de vacaciones? Planeas, ahorras y luego te vas para disfrutar un tiempo con tu familia. Es maravilloso." El sonido de un claxon acentuó sus palabras.

El entrenador se quedó pensando por un momento y luego continuó: "Se me ocurrió mientras estaba sentado en aquel escritorio, a pesar de que mi esposa se estaba muriendo: la felicidad no tenía que morirse con ella. De hecho, la felicidad estaba a nuestro alrededor. Estaba en los miles de automóviles que pasaban a sólo 30 metros de nuestra casa todos los días. Así que coloqué el letrero. No tenía ningún propósito; sólo quería que las personas en sus carros valoraran ese momento. Ese momento especial y que no volvería a repetirse con las personas que aman; ese momento debe de disfrutarse y se debe estar *consciente* de la felicidad que se tiene.

Varios cláxones sonaron de diferentes carros en rápida sucesión. "Mi esposa comenzó a oír los cláxones", me dijo. "Al principio eran sólo unos cuantos de vez en cuando. Ella me preguntó si sabía por qué, y yo le platiqué del letrero. Con el tiempo, el número de carros que tocaban el claxon comenzó a aumentar y ellos se convirtieron como medicina para ella. Mientras estaba recostada ahí, ella escuchaba los cláxones y encontró gran confort en saber que ella no estaba sola en un cuarto oscuro muriendo. Ella era parte de la alegría del mundo. Y literalmente la alegría estaba alrededor de ella."

Me senté en silencio por un momento, tratando de asimilar lo que me habían contado. Qué historia más conmovedora e inspiradora. "¿Le gustaría conocerla?" me preguntó. "Sí", respondí con sorpresa. Habíamos hablado tanto de su esposa que comencé a pensar que ella era más un personaje de una historia maravillosa que una persona real, mientras caminábamos hasta el final del pasillo hacia su cuarto. Comencé a prepararme para no lucir asombrado por la mujer enferma y convaleciente que esperaba ver. Pero al entrar al cuarto, encontré una mujer sonriente que parecía jugar a estar enferma en vez de ser una mujer que estaba a punto de morir.

Se escuchó otro claxon y ella dijo: "Ahí va la familia Harris. Es bueno volver a saber de ellos. Los extraño". Después de que nos presentaron, ella me explicó que su vida era igual de abundante que antes. Miles de veces al día y durante toda la noche, ella escuchaba los chirridos, trompetazos y rugidos de los cláxones que le decían que había felicidad en el mundo. "Ninguno tiene idea de que estoy aquí acostada escuchando", dijo, "pero los conozco. Los conozco por el sonido de su claxon". Se sonrojó y continuó: "He inventado historias acerca de ellos. Imagino el tiempo que pasan en la playa o jugando golf. Si está lloviendo, los imagino en el acuario o de compras. En la noche los imagino visitando el parque de diversiones o bailando bajo las estrellas". Se le fue la voz y luego, ya casi dormida, musitó: "Qué vidas tan felices... qué vidas tan felices".

El entrenador me sonrió y ambos nos levantamos y salimos del cuarto. En silencio me acompañó a la puerta, pero mientras salía, una pregunta me vino a la mente: "Usted dijo que los doctores le habían dado máximo seis meses de vida, ¿cierto?" "Sí", contestó con una sonrisa que me indicaba que sabía cuál era mi próxima pregunta. "Pero ¿usted dijo que su esposa estuvo en cama enferma por varios meses antes de que usted pusiera el letrero?". "Sí", respondió. "Y he conducido y visto el letrero aquí por casi un año", le expresé.

"Exactamente", él admitió y luego agregó: "Por favor regrese a visitarnos pronto".

El letrero estuvo todavía otro año y luego, un día, desapareció. "Habrá muerto", pensé con tristeza mientras conducía. "Por lo menos estuvo feliz hasta el final y venció las probabilidades. ¿Sus doctores se habrán sorprendido?" Unos días después, tomé la autopista 544 hacia la playa y por primera vez, mientras me acercaba al puente, sentí tristeza. Chequé de nuevo a ver si el viento o la lluvia habían finalmente arruinado el pequeño letrero de cartón hecho en casa. Sin embargo, de verdad había desaparecido. Me sentí triste.

A medida que me acercaba al puente vi algo que me animó: en donde el pequeño letrero solía estar se encontraba otro letrero. Era de un metro ochenta de largo y un metro de alto con un fondo amarillo rodeado de luces brillosas y parpadeantes. En ambos lados del nuevo letrero, en largas e iluminadas letras, estaba el tan familiar "Toca el claxon si eres feliz".

Con lágrimas en los ojos, toque el claxon haciéndole saber al entrenador y a su esposa que estaba pasando. "Ahí va Will" imaginé que ella diría con una sonrisa melancólica.

Con el apoyo de su amable esposo, en vez de obsesionarse por su realidad —confirmada por médicos especialistas— esta maravillosa mujer se ha fijado en las cosas buenas de su entorno. Y, al hacer esto, ella ha vencido las probabilidades, abrazando la vida, y ha conmovido a millones de personas.

Tú también puedes ser un soporte para otra persona, una persona que busca cambiar su vida dejando de quejarse. Busca a alguien a quien puedas apoyar y alentar para que haga lo mismo por ti. Juntos, lo pueden lograr.

CUARTA PARTE

Competencia inconsciente

CAPÍTULO 7

El dominio

Cumplan todo sin quejas.

FILIPENSES 2:14

Existen varias especies de peces conocidas como sardinas plateadas. La mayoría pueden encontrarse en Estados Unidos en las regiones de cuevas de piedra caliza de la desembocadura del Mississippi. Las sardinas plateadas llegan a medir hasta 13 centímetros de largo y tienen poca o ninguna pigmentación. Además de su piel pálida, todas, a excepción de una especie, no tienen ojos. Científicos conjeturan que hace muchos años estos peces quedaron atrapados en los cambios de masas continentales o en canales de agua y se convirtieron en peces de cueva. Rodeados completamente por la oscuridad e incapaces de ver, el pez se adaptó a su nuevo ambiente.

Después de varias generaciones, la pigmentación que protegía sus pieles del sol quedó atrás, ya que no era necesaria. De manera similar, a través del tiempo, las sardinas plateadas comenzaron a parir pececillos sin ojos. Sin luz

TESTIMONIOS

Hace cuatro años, mi hijo mayor de veintitrés años, que era jefe de policía, sufrió una hemorragia cerebral mientras conducía. Sin entrar en detalles, ha sido un largo y abrupto camino, el que toda mi familia ha recorrido con la confianza en Dios y su amor incondicional.

Ben se está recuperando (todos los doctores habían diagnosticado que no lo lograría) y acepta su discapacidad con toda tranquilidad y su comportamiento es un ejemplo a seguir para todos nosotros. La gracia de Dios está activa y creciendo en él.

Ha aprendido a manejar la afasia, la debilidad de su lado derecho, y parte de su lento procesamiento, sin embargo, todavía continúa mejorando, sin queja alguna. Ésta es la razón de las pulseras. Si Ben puede aceptar su cambio sin ninguna queja, sin duda alguna el resto de nosotros también puede. Me gustaría que todas las personas que han ayudado a Ben en su recuperación tengan una pulsera.

Muchas gracias y continúen, buena suerte con su misión. ¡Usted y su iglesia han logrado impactar!

NOREEN KEPPLE, STONINGTON, CT

y sin ninguna habilidad para ver, su cuerpo se adaptó a su ambiente y dejó de producir pigmentación y ojos.

Después de haber pasado los meses que se necesitan para convertirse en una persona "Libre de quejas", te darás cuenta de que has cambiado. Como en el transcurso de una generación tras otra la sardina plateada dejó atrás lo que ya no necesitaba, te darás cuenta de que tu mente ya no produce la lluvia de pensamientos desagradables con los que solías vivir. Porque ya no los dices, no hay una válvula de escape para ellos, así que la fábrica de quejas de tu cabeza tiene que cerrar. Has cerrado la llave y el pozo se ha secado. Al cambiar tus palabras, has reorganizado tu manera de pensar. Se ha convertido en algo *inconsciente* (no lo notas) para que seas *competente* (sin quejas). Y como resultado, eres una persona diferente. Eres una persona más feliz.

Cuando comenzamos el programa "Libre de quejas", decidimos entregar un "Certificado de Felicidad" cuando alguien logra los 21 días consecutivos "Libre de quejas". Optamos por entregar un "Certificado de Felicidad" en vez de un certificado "Libre de quejas", porque sabíamos que eliminar las quejas tiene un maravilloso y poderoso efecto en la conciencia de las personas. En vez de cambiar sólo el comportamiento, no quejarse cambia la mentalidad y vida de una persona. Cuando has completado exitosamente tus 21 días, por favor visita nuestro sitio web www.AComplaintFreeWorld.org y estaremos felices de enviarte tu certificado celebrando tu transformación.

En la etapa Competente inconsciente, que es la fase posterior a los 21 días, ya no eres más una persona en busca del negrito en el arroz. En vez de eso, tus pensamientos son sobre lo que tú quieres, y comienzas a darte cuenta de que no sólo eres más feliz, sino que también las personas a tu alrededor son más felices. Estás atrayendo gente optimista y tu naturaleza positiva está inspirando a aquellos a tu alrededor a niveles mentales y emocionales más altos. Parafraseando a Gandhi, te has convertido en el cambio que deseabas ver en el mundo. Cuando algo va bien para ti, tu respuesta inmediata es "por supuesto". Y cuando un problema se presente, no le darás energía hablando ni comentándolo con otras personas; en vez de eso, comenzarás a buscar lo que tenga de positivo. Buscando, encontrarás.

Otra cosa de la que te darás cuenta es lo incómodo que ahora te sentirás cuando una persona cercana comience a quejarse. Es como si un olor realmente desagradable estuviera en el cuarto. Ya que has pasado mucho tiempo tratando de no quejarte, cuando oyes que alguien se va a quejar es como si un campaneo cacofónico apareciera en un momento de silencio sagrado. Aunque sus quejas no son agradables de oír para ti, no sentirás la necesidad de señalarlas a otras personas. En vez de eso, te dedicarás simplemente a observar y, porque no criticas ni te quejas, la persona no sentirá la necesidad de justificar su comportamiento y este episodio terminará muy rápido.

Comenzarás a sentir gratitud por las pequeñas cosas, incluso por las que tenías por sentado. Recuerdo haber pensado: "Si hubiera sabido la vez que me cepillé mi cabello que iba a ser la *última*, la hubiera disfrutado mucho más". (En caso de que no entiendas mi comentario, busca una de mis fotografías.) Mientras te vayas adaptando a ser competente inconsciente, tu falta de perspectiva será comprensible.

Aun habrá cosas que desees para ti y eso es bueno. Ahora, con tu recién descubierta energía positiva, puedes mantener una imagen en tu mente de lo que deseas, sabiendo que está, aun en este momento, moviéndose hacia ti.

Puede que tu situación financiera también mejore. El dinero, por sí y en sí mismo, no tiene valor. El dinero no es más que un papel o monedas que representan valor. Cuando comiences a valorarte más a ti mismo y a tu mundo, vibrarás a un nivel que atraerá mayores beneficios económicos para ti. Las personas querrán darte y proveerte de cosas que tal vez hubieras tenido que pagar por ellas en el pasado. Conozco a un hombre que recibe un número de servicios profesionales gratis simplemente porque les cae bien a las personas que lo proveen de estos servicios y ellos quieren apoyarlo. Lo mismo te puede pasar a ti. La clave es buscar los servicios más pequeños y estar agradecido. Si alguien mantiene una puerta abierta para ti o se ofrece a cargar algo por ti, tómalo como una bendición del universo y, al hacer esto, atraerás más cosas.

Las personas felices y positivas son simplemente más agradables y es bueno tenerlas cerca, en nuestro entorno. Ahora que eres ese tipo de persona, otra forma de que tus finanzas mejoren es por medio de incrementos salariales y elevando tu seguridad en el trabajo.

En el trabajo, somos pagados por nuestra habilidad al hacer o realizar ciertas cosas. Nuestro grado de competencia en nuestra vocación influye en gran medida qué tan bien nos pagarán. Sin embargo, una persona que trabaje bien y que disfrute su trabajo vale su peso en oro. Conozco un negocio en Seattle, Washington, que tenía una recepcionista de nombre Martha, quien poseía la sonrisa más grande, brillante y sincera que haya visto. Ella siempre era verdaderamente feliz y estaba dispuesta a hacer lo que fuera por cualquiera. Podías sentir su presencia en la oficina, y todos los que trabajaban ahí se sentían más animados y productivos por ella.

Hace algún tiempo fui a este negocio a visitar a unos amigos. Algo había cambiado. Era como si alguien hubiera pintado las paredes de un color más oscuro, o tal vez la iluminación estaba fallando. Eso fue lo que sentí mientras permanecí en la recepción. Luego me di cuenta de que no estaba Martha. "¿Dónde está Martha?", pregunté. "Se fue a otra oficina", me contestó una mujer, "que le ofreció más del doble de lo que nosotros podíamos pagarle". Después de echar una mirada alrededor, ella añadió: "La otra compañía hizo un buen negocio".

La personalidad alegre y positiva que Martha irradiaba a todos en esta compañía produjo que a su partida los niveles de felicidad y productividad disminuyeran. Los vendedores comentaron que las quejas de los clientes se incrementaron tanto en número como en intensidad cuando Martha no estaba ahí para contestar el teléfono.

Tu actitud, que es una expresión exterior de tus pensamientos internos, dicta la manera en la que las personas se relacionarán contigo, no sólo las personas, sino también los animales. Mientras escribo esto, nuestros dos perros le están ladrando con entusiasmo a la camioneta de mensajería UPS que acaba de entrar a nuestro vecindario. Gibson y Magic no ladran para defender su territorio. No ladran para impedir que el conductor de UPS se detenga en nuestra casa, sino más bien para que lo *haga*. A diferencia de otros repartidores que les tienen miedo a los perros o no quieren lidiar con ellos, nuestro repartidor de UPS decidió aprenderse los nombres de cada perro en su ruta. Incluso les trae premios. Tal vez suene tonto, pero nuestros perros aman al repartidor de

UPS, nosotros amamos a nuestro perros, entonces nosotros amamos al repartidor. La intención de nuestro repartidor de ser una persona atenta y amable ha hecho que UPS se gane nuestro cariño más que miles de comerciales de televisión.

Si él aspirara al puesto de gerente, puedo ver a este repartidor dirigiendo la compañía UPS. Todos queremos estar alrededor de personas que hagan de lo cotidiano algo extraordinario. Y ese tipo de personas al final es probable que sean promovidas.

Uno de los mayores regalos de convertirse en una persona "Libre de quejas" es el impacto que tendrás en tu familia, tanto en el presente como en el futuro. Para bien o para mal, tendemos a moldear a las personas a nuestro alrededor. Como vimos en un capítulo anterior, nos sincronizamos a la energía de otras personas y, especialmente, a aquellas que consideramos figuras de autoridad, tales como nuestros padres.

Puedo recordar a mi papá en la cocina. Cuando cocinaba, tomaba un trapo para platos y lo colocaba sobre su hombro; él lo llamaba "su trapo de cocina del brazo izquierdo". El trapo estaba ahí por si tenía que mover algo caliente de la estufa o por si se tenía que limpiarse las manos. Hoy en día, cuando estoy en la cocina, me encontrarán con mi propio "trapo de cocina del brazo izquierdo". Y nunca lo coloco en el brazo derecho, sino siempre en el izquierdo. Así era como mi papá lo hacía, así es como yo lo hago. Tal vez mi papá vio hacer esto a su padre y siguió su ejemplo. ¿Quién sabe? Todo lo que sé es que tomé esta costumbre de mi papá. Él nunca buscó inculcar esta forma de ser en mí, pero su comportamiento lo hizo. Y sé que, aunque lo intente o no, todo el tiempo le estoy transmitiendo cosas a Lia.

Me di cuenta de que, antes de adoptar un modo de vida "Libre de quejas", le estaba enseñando a Lia que la hora de la cena era un tiempo para quejarse y chismorrear. Le estaba enseñando que ésta es la manera en la que las personas actúan. Ahora estoy muy agradecido de que nuestra mesa es el lugar en donde hablamos de bendiciones y mejores panoramas. Esto era lo que le quería transmitir a Lia, para que ella se lo pueda transmitir a sus hijos y sus hijos a los suyos. Deja que el tiempo en familia sea alegre y ameno, no un tiempo para desahogarte de cómo las cosas no salieron como querías aquel día. Estoy convencido de que nuestra vida es mejor gracias a que no buscamos cosas negativas todos los días para asegurarnos de que haya plática durante la cena.

Al ser una persona que no se queja, atraes con menor esfuerzo más de lo que quieres para ti. ¿Recuerdan a la mujer de mi iglesia con su lista de quejas? Después de que cumplí un par de cosas de su lista, me di cuenta de que, no importaba lo que hiciera, ella siempre iba a encontrar algo que le molestara. Sin ninguna intención, comencé a tener una mayor resistencia mental a todo lo que ella me pedía y comencé a molestarme con ella porque nada de lo que hacíamos parecía complacerla. Las ideas que propuso, incluso las buenas, fueron ignoradas porque sentía que provocarían más quejas y críticas. Mientras la ignoraba y rehusaba a hablar de lo que ella veía como defectos de mi iglesia, dejó de traerme su lista de quejas. Y lo más gracioso es que, después de que se abstuvo, comenzamos paulatinamente a adoptar casi todo lo que había propuesto. No porque ella se hubiera quejado acerca de eso, sino porque dejó de quejarse. E hicimos los cambios porque sentimos que eran necesarios. Sin embargo, los rechazamos por mucho tiempo sin considerarlos siquiera porque teníamos cierta reacción a sus demandas. Nos sentíamos atacados y reaccionamos ignorando sus peticiones.

En estos momentos ya eres una persona más positiva hablando acerca de las cosas que quieres en vez de quejarte acerca de las cosas que no quieres. Las personas van a querer trabajar contigo y para ti, y alcanzarás y recibirás más de lo que una vez soñaste. Dale tiempo, búscalo y sucederá.

"Pero ¿qué hay acerca de las causas sociales que me apasionan?" A menudo me preguntan: "¿Cómo puedo ayudar a lograr un cambio positivo al no quejarme?" De nuevo, el cambio comienza con la insatisfacción. Todo comienza cuando alguien como tú ve una brecha entre lo que es y lo que puede llegar a ser. La insatisfacción es el comienzo; sin embargo, no es el fin. Si te quejas acerca de una situación es posible que atraigas a otras personas que se quejen al igual que tú, pero no serás capaz de resolver la mayoría de las cosas. Sin embargo, si empiezas a hablar en términos de cómo sería cuando el cambio ya no exista, cuando el puente esté terminado, cuando el problema se haya resuelto, entonces tú puedes entusiasmar y mover a las personas hacia un cambio positivo.

Cuando cesen tus quejas, te darás cuenta de que poco a poco disminuyen tu ira y temor. La ira es un temor exteriorizado. Y dado que ya no eres una persona con miedo, ya no atraerás a personas enojadas y temerosas a tu vida.

En el libro *The Seat of the Soul*, un *bestseller*, su autor Gary Zukac escribió: "Quejarse es una forma de manipulación". Tengo un amigo que es un ministro en otra iglesia. La junta directiva envió a un asesor para que lo ayudara a que su iglesia creciera. "Encuentra algo a lo que le teman", pues le dijo el asesor. "Usa eso para hacerlos enojar. Ellos se quejarán de la situación con otros. Esto los unirá y atraerá a más personas." Para mi amigo, este enfoque no tiene integridad, él ve su sacerdocio como algo donde se debe servir a aquellos que lo necesiten, no como algo con lo que se agite una multitud. Llamó a un compañero ministro y le preguntó cómo esta técnica de ira y temor había funcionado en su iglesia. "Funcionó bien" dijo el otro ministro. "Atrajo a nuevas personas. El problema es que todos son un montón de personas temerosas y enojadas que se quejan todo el tiempo y ahora tengo que lidiar con ellos." Mi amigo renunció a ser ministro superior de su iglesia para convertirse en capellán de un hospital; de esta forma vive con integridad y es muy feliz.

Una noche, mi familia y yo estábamos viendo la película clásica *The Music Man*, protagonizada por Robert Preston. En ella Preston interpreta al profesor Harold Hill, un vendedor sin escrúpulos, que habla muy rápido y que vende de puerta en puerta instrumentos musicales. Al llegar a River City, Iowa, le pregunta a un viejo amigo suyo, interpretado por Buddy Hackett: "¿Hay algo en este pueblo que pueda usar para molestar a esta gente?" Hackett le cuenta acerca de la primera mesa de billar en el pueblo, que había llegado recientemente; entonces Preston comienza a infundir miedo en el pueblo con charlas acerca de la corrupción moral que implica jugar billar. Por supuesto, la solución a la "corrupción moral" y a la "histeria en masa" representada por el billar hace que todos los jóvenes se unan a un grupo musical. Y por supuesto el profesor Harold Hill está ahí para salvar la situación vendiendo instrumentos musicales y uniformes. Él está avivando las flamas de las quejas para manipular a la gente del pueblo en su propio beneficio.

Zukav está en lo correcto. Quejarse es una manipulación de tu energía, y ahora que tú eres una persona "Libre de quejas", te darás cuenta de cuándo alguien está usando sus palabras negativas para manipularte, y construirás barreras saludables para protegerte. Cuando escuches una plática así, sabrás que es una queja —con Q mayúscula y la cual juega con P de problema.

Algunos dicen: "Pero algunos psiquiatras piensan que quejarse es saludable". Como he dicho, tiene sentido quejarse (expresar tristeza, dolor o descontento) en ocasiones. Una expresión de tristeza, dolor o descontento dirigida hacia alguien que te pueda ayudar es saludable, siempre y cuando se haga de manera que puedas recibir lo que quieres en un futuro y no como un medio de atacar a alguien por algo que ocurrió en el pasado.

Hablar con un psicólogo u otro asesor acerca de situaciones y eventos difíciles de tu vida con el fin de poder superarlas es saludable. Un buen psicólogo puede darles significado a los eventos y situaciones molestas, proveyendo de esta forma esperanza y paradigmas constructivos para una mejor vida en el futuro. Sin embargo, quejarse con un amigo o "comentar" —como usualmente decimos— puede ser excusa de una negatividad desenfrenada, la cual magnifica nuestros problemas y nos relaciona con personas negativas porque con ellas podemos sincronizarnos.

Hay ocasiones en las que todos necesitamos procesar lo que está pasando en nuestra vida para mejorar la situación. Procesar y quejarse no significan lo mismo. Procesar es compartir tus *sentimientos* acerca de algo que sucedió y no realizar una reproducción de los eventos que sucedieron. Si tu jefe te grita, probablemente quieras hablar con tu esposa acerca de aquella experiencia y compartir lo que sentiste. "Me sentí sorprendido y triste cuando me gritó", podrías decir.

Cuando proceses una experiencia, asegúrate de que lo que estás diciendo se enfoque solamente en tus sentimientos y no en la recapitulación de lo que pasó. Usa palabras como:

- Furioso
- Triste
- Alegre
- Feliz
- Enojado
- Miedoso
- Contento

"Me enojo cuando haces eso", admites la experiencia como tuya y se procesa. "Siento que eres un imbécil cuando haces eso" es sencillamente un insulto pero agregando "Siento que" antes de la ofensa. Tus sentimientos son los mejores indicadores de qué tan íntegramente estás viviendo con tu más alto ser, y el discutir tus sentimientos con otra persona, sin la historia de trasfondo y el drama de "él dijo/ella dijo", puede ser saludable.

Incluso con un terapeuta, es importante no persistir en el dolor de una experiencia de alguien por mucho tiempo. Un estudio psicológico mostró que hablar acerca de síntomas neuróticos incrementa estos síntomas.[1] Un buen terapeuta sabe cuánto tiempo y energía debe dedicarse al pasado y cómo ayudarte a usar lo que ha pasado para crear un mejor futuro.

Ahora estás en el asiento del conductor para alcanzar el futuro que siempre soñaste. Más que eso, al mantener tus intenciones y hablar sólo de la manera como te gustaría que las cosas fueran, lograrás alcanzar metas a corto plazo que antes pensabas que te tomaría años.

En la obra de teatro *Ficción*, de Steven Dietz, uno de los personajes señala: "A los escritores no les gusta escribir; les gustaría haber escrito". De manera similar, a las personas no les gusta cambiar, sino haber cambiado. Has puesto tus ganas, tiempo y esfuerzo en seguir cambiando tu pulsera de mano y comenzar una y otra vez. Tú eres una nueva persona. Tú has cambiado. Oliver Wendell Homes dijo: "Una mente expandida por una nueva idea nunca vuelve a encogerse a su tamaño original". Tú lo has logrado, tu mente ha crecido.

Si leíste este capítulo y todavía no has completado los 21 días consecutivos del programa "Libre de quejas", permite que esto te sirva como augurio de las cosas por venir. Tú puedes. En el próximo capítulo escucharás las experiencias de personas que han logrado realizar los 21 días consecutivos "Libre de quejas" y lo que esto ha significado para ellas.

[1] Kowalski, R. M. (1996), "Complaints and Complaining: Functions, Antecedents, and Consequences", *Psychological Bulletin* 119, p. 181.

CAPÍTULO 8

Los campeones de los 21 días

No hay precio más alto que el del privilegio
de poseerse a sí mismo.

FRIEDRICH NIETZSCHE

"Pero ¿no es saludable quejarse?"

Cuando fui entrevistado acerca del movimiento "Libre de quejas", a menudo los medios de comunicación querían compararme con algunos psicólogos que afirman que quejarse conduce a una mejor salud. Cuando esto sucede, les recuerdo que no es mi intención cambiar a la gente. Si se quieren quejar, ¡más poder para ellos! Y sólo para ser claro, no pido que guarden silencio cuando sucede algo que necesita ser corregido. No te lo guardes, no te contengas, únicamente asegúrate de que sólo estés exponiendo los factores y no expresando una energía de: "¿Cómo te atreves a hacerme esto?" tras lo que estés diciendo.

En cuanto a ser "saludable", me pregunto si algunos de estos psicólogos consideran que su trabajo es escuchar a las personas quejarse sólo para que su manera de ganarse la vida no se vea limitada. Como lo dije anteriormente, un buen terapeuta te ayuda a superar sucesos traumáticos para reformarlos y usarlos para darte un mejor presente y un brillante futuro.

No soy psicólogo. Ni en televisión juego el papel de que lo soy. Mi experiencia en esta área se basa solamente en la metamorfosis de mi propia vida, dejando atrás las constantes *kvetches*, y de las de muchas personas que me han confiado lo más saludables y felices que se han sentido por estar libres de quejas. Me parece que si quejarse fuera saludable, entonces las personas de mi país, Estados Unidos, serían las más saludables del mundo; sin embargo, con lo que algunos llamarían el mayor sistema médico del planeta Tierra, Estados Unidos ocupa un rango apenas por debajo del 93 por ciento, con respecto a todos los demás países, en muertes por causa de enfermedades del corazón *per capita* al año. Las personas en Estados Unidos también enfrentan problemas de presión alta, diversos tipos de ataques, cáncer y otro tipo de enfermedades. En-fer-me-da-des, ¿quedó claro?

Michael Cunningham, con doctorado en investigación y psicólogo de la Universidad de Louisville, propone que la predilección humana por quejarse probablemente se desarrolla por la manera en que nuestros ancestros gritaban alarmando a la tribu cuando se aproximaba una amenaza. "Nosotros los mamíferos somos una especie que chilla", dice el doctor Cunningham. "Hablamos de cosas que nos molestan como una forma de obtener ayuda o buscar un pelotón para preparar un contraataque." Quejarse desenfrenadamente es algo que ya no necesitamos, pero todavía no lo hemos superado porque, como ya lo asentamos anteriormente, cuando lo hacemos todavía sacamos beneficios psicológicos y sociales.

Cuando nos quejamos, estamos expresando que "algo está mal". Cuando nos quejamos a menudo, vivimos en un estado de "algo está mal" y esto provoca un mayor estrés en nuestra vida. Imagina que alguien te dijera constantemente: "cuidado", "ten cuidado, algo malo va a pasar" o "lo malo que ocurrió en el pasado significa que más cosas malas se avecinan". ¿No haría tu vida más estresante si te dijeran constantemente que hay peligros y problemas a tu alrededor? Claro que sí. Y cuando te quejas frecuentemente, la persona que enciende la alarma eres tú. Al quejarte estás acrecentando tu estrés; estás diciendo "algo está mal" y tu cuerpo responde con más tensiones.

Nuestro grado de estrés colectivo me recuerda a los cadetes militares de la universidad a la que asistía. Cuando uno de primer año pasaba al lado de uno de último año tenía que "prepararse". "Prepararse" significaba que el cadete tenía que mover sus brazos a los costados, bajar la barbilla y poner duro el cuerpo como esperando un ataque. Cuando nuestra mente se concentra en lo que está mal por intermedio de las quejas, nuestro cuerpo responde. Nos "preparamos" o nos ponemos "duros". Nuestros músculos se anudan, el ritmo de nuestro corazón se acelera, nuestra presión sube. ¿Para ti esto es saludable?

Si checas las prescripciones de medicamentos más vendidos en Estados Unidos, de acuerdo con el artículo de Forbes.com del 27 de febrero de 2006, siete de las siete más pedidas —es correcto, todas— son por enfermedades que se agravaron por el estrés. En 2005, en Estados Unidos se gastaron 31.2 miles de millones de dólares en medicamentos para combatir la depresión, acidez, enfermedades del corazón, asma y alto colesterol.

"OK", pensarás. "Entiendo que quejarse aumenta el estrés y con ello las enfermedades del corazón, la depresión y la acidez, pero el asma y el alto colesterol no." Pues un estudio minucioso de Andrew Steptoe, doctor en ciencias, y colegas de la *University Collage London* examinaron los efectos del estrés en el colesterol y presentaron los resultados en *Health Psychology* (noviembre de 2005); en este experimento, el doctor Steptoe y sus asociados midieron el colesterol a un grupo de participantes y luego los pusieron bajo situaciones estresantes. Después de eso, volvieron a medir el colesterol de cada persona y descubrieron que se había incrementado considerablemente. El estrés sí aumenta el colesterol.

En cuanto al asma, Heather Hatfield de WebMD afirma: "Cuando nuestro nivel de ansiedad [estrés] comienza a ascender... los síntomas del asma pueden dispararse". El estrés aumenta los ataques de asma y quejarse incrementa los niveles de estrés.

En mi opinión, quejarse no es saludable sino, de hecho, perjudicial para nuestra salud. Pero ésa es sólo mi opinión; me gustaría concluir este último capítulo con comentarios de los que llamo "los campeones de los 21 días", es decir, personas que han completado 21 días consecutivos sin quejarse.

~ Joyce Cascio ~

(escritor)

Hace un año, si alguien me hubiera preguntado "¿Eres una de esas personas que se quejan mucho?, inmediatamente hubiera respondido: "Ah, no, claro que no. Casi no me quejo". Sin embargo, la respuesta más apropiada hubiera sido: "Sí, me quejo, pero no me doy cuenta de qué tan seguido lo hago".

En mi propia escala del cero al diez, el lugar en el que creía figurar distaba mucho de la realidad. El diez es el que constantemente se queja y el cero es alguien que nunca se queja. Basado en esta escala sentí que necesitaba sólo un poco para mejorar, porque no me percibía como una persona en el lugar diez o como un quejumbroso extremista. Me veía más como a la mitad de la escala, tal vez en el cinco o en graves circunstancias, en el seis. Sin embargo, lo que se me estaba pasando por completo y lo que mi escala no me mostraba era que quejarse en cualquiera de los niveles era perjudicial para mí y para mis relaciones.

Durante el verano de 2006, fue cuando por primera vez me di cuenta de cuánto me quejaba. Mi negocio, que había iniciado en 2004, parecía fracasar. Aquellos que eran cercanos a mí dudaban de que el éxito fuera posible. Me sentía desalentado, deprimido y negativo y sobre todo conmigo mismo. Mis pláticas eran exhaustivas porque mucha de mi energía se gastaba defendiendo mi posición acerca de mi negocio y recalcando las cosas negativas y apuros por los que estaba pasando.

Finalmente, harto de mis conversaciones, decidí tomar un año sabático en la forma de un retiro silencioso. Necesitaba alejarme de todos. Escribía en mi diario puntualmente y un día a fines de julio comencé a escribir sobre el dolor que mis propias palabras me causaban, porque muchas de ellas no me ratificaban a mí ni a nadie. Me di cuenta de que quejarme era la manera de expresar las cosas que me molestaban sin expresarlas directamente. También me quejaba para excusarme de hacer o no las cosas. Por primera vez entendí cómo quejarme me estaba robando resoluciones significativas en mi vida. Básicamente, quejarme no me permitía tener una conversación directa y honesta con nadie, incluyéndome.

Irónicamente, esa misma semana, el reverendo Will Bowen, a quien no conocía, estaba repartiendo las pulseras "Libre de quejas" en nuestra congregación y pidiendo a los interesados que iniciaran los 21 días sin quejas. Cuando regresé después de unas semanas, estaba emocionado al escuchar sobre ello e inmediatamente empecé a usar la pulsera.

Estoy feliz de informar que en verdad cumplí los 21 días. Hoy continúo usando mi pulsera como un recordatorio permanente y para apoyar este gran movimiento que está llegando a muchísimas vidas.

¿Qué ha pasado desde que cumplí mis 21 días?

- Mi vida es más completa, más feliz.
- Las perspectivas en mi negocio van mejor que nunca.
- Mis relaciones son más positivas y tengo menos conflictos en éstas y en mi vida.

Continúo encontrándome en situaciones y circunstancias que me retan, pero lo que ha cambiado es cómo reacciono frente a éstas, y eso está cambiando el resultado. Ahora soy más franco en mi comunicación conmigo mismo y con mis semejantes. Vivir libre de quejas ha cambiado mi vida y sé que lo hará para quien tenga la voluntad de intentarlo.

~ Cathy Perry ~

(profesora suplente)

Cumplí mis 21 días libre de quejas el 24 de abril. Comencé a utilizar mi pulsera morada en el pasado mes de julio cuando el reverendo Bowen nos dijo, por primera vez, lo del reto "libre de quejas". En el transcurso del reto, desistí y recomencé muchas veces. Me tomó semanas sólo completar un día libre de quejas. Se me hizo más fácil cuando mi esposo comenzó a usar la pulsera en octubre de 2006; ayuda afrontar el reto con otra persona pues pueden apoyarse mutuamente.

Este reto me abrió los ojos y darme cuenta de cuánto me quejaba. Fue realmente un proceso empezar a darme cuenta de mis pensamientos y mis palabras. En cuanto me daba cuenta de lo que estaba pensando, era capaz de cambiar estos pensamientos de mí misma y de otros y de situaciones que enfrentaba todos los días. Ha sido una transformación de mi letanía diaria de "estoy cansada", "no dormí bien" y "no me da tiempo para nada" a dormir bien y sentirme bien. Así como mi perspectiva cambió, fue más fácil mantener una actitud positiva, y me he seguido sintiendo mejor y mucho mejor conforme el efecto de mis pensamientos positivos se expande en todas las áreas de mi vida. Ahora duermo mejor y tengo más energía. Me siento más feliz y mucho más relajada. La relación con mi familia ha mejorado; hay más cumplidos que quejas en nuestras conversaciones diarias. Nuestro hogar es un lugar apacible.

El reto de libre de quejas no es fácil. Toma tiempo y un esfuerzo consciente para lograr el primer día libre de quejas.

Pero una vez que tus hábitos y tu modo de pensar empiezan a cambiar se vuelve más fácil. La clave es seguir intentándolo.

Para mí, este reto no fue sólo dejar de quejarme; fue cambiar las quejas por agradecimientos por todas las cosas buenas que tengo. Veo lo bueno en lugar de ver sólo los defectos que me llevarían a quejarme.

~ Don Perry ~

(diseñador de puentes)

Mi esposa comenzó el reto de libre de quejas el pasado mes de julio, y cuando me habló de eso me intrigó. Noté una gran diferencia en ella y en octubre de 2006 empecé a usar una pulsera morada. La tuve por ocho semanas antes de poder completar un día libre de quejas y el 18 de abril cumplí los 21 días sin quejarme.

En el transcurso de este reto, me di cuenta de cuánto mis quejas afectaban mi humor y qué tan pesimista me había vuelto con respecto a varias cosas. Me sorprendió saber cómo los otros reaccionaban a mi pesimismo. Un día, en el trabajo, mi jefe me preguntó sobre mi pulsera morada. Cuando le dije del reto "no quejarse" le dio mucho gusto y me dijo: "Cuando echas pestes, Don, das miedo". Cuando le conté esta conversación a mi familia, estuvo de acuerdo en que "causaba miedo" y a veces querían salirse de la habitación cuando "explotaba" mientras leía el periódico o veía televisión.

Ahora me doy cuenta de que mucho de mi enojo y mis quejas provienen de mi inseguridad en el trabajo. Me quejaría con el que me oyera sobre la cantidad de trabajo que tenía o sobre la inminente fecha límite porque no creía que pudiera tener todo hecho.

Y si no puedo tener todo listo, ¿significa que no soy lo suficientemente bueno para hacer mi trabajo? Por consiguiente, me quejaba, porque temía y me molestaba la cuestión. Pero ahora me doy cuenta de que siempre habrá mucho trabajo por hacer y todo lo que puedo llevar a cabo es realizar mi mejor esfuerzo.

Esta comprensión me ha ayudado a aceptar el hecho de que no puedo controlar todo lo que pasa en el trabajo o en otros aspectos de mi vida y que quejarme no me va a ayudar en nada. Descubrí que entre menos me queje, menos me preocupo. El dejar la obsesiva preocupación me ha ayudado a disfrutar de más tiempo en casa y simplemente estar más relajado.

El reto de libre de quejas me ha ayudado a ser más feliz con mi trabajo, con mis relaciones y en casa. Mi actitud negativa era contagiosa de forma enfermiza, pero mi nueva actitud positiva es contagiosa de manera curativa. La felicidad que me ha dado se ha esparcido. Ahora mi jefe me llama "señor luminoso".

~ Marcia Dale ~

(directora de la oficina de la iglesia)

Uso la pulsera "Libre de quejas" desde el 23 de julio, cuando el reverendo Will propuso el reto a nuestros feligreses de vivir 21 días sin quejarse. En ese entonces pensé: "¿Qué tan difícil puede ser? Soy una persona optimista. Tengo una gran familia y un trabajo que me encanta: trabajo en ¡*Christ Church Unity*! ¡21 días... no es difícil!"

Luego me puse la pulsera y, de hecho, ¡me hice consciente de cuantas cosas negativas salían de mi boca! El darme cuenta fue sorprendente. Una y otra vez me detenía en medio de una oración y me preguntaba: "¿En realidad quiero decir lo que estaba diciendo? ¿Será algo positivo?" Y una y otra vez la respuesta era "No". Gasté dos pulseras cambiándolas de una mano a la otra tan seguido hasta que por fin cumplí los 21 días a mediados de noviembre.

Todavía la uso como un listón en el dedo; es un continuo recordatorio de que mis palabras son poderosas y que tengo la responsabilidad de escogerlas prudentemente. Me he dado cuenta de que no se trata de tapar las emociones y poner una cara de felicidad. He tenido que lidiar con algunas difíciles cuestiones personales y situaciones familiares los últimos meses. Pero antes de dejar que las palabras broten de mi boca, pienso en éstas e intento lograr algo positivo con lo que digo. Es posible lidiar con situaciones difíciles (y personas difíciles) sin ser negativa. Y ¡el resultado es *siempre* muchísimo mejor!

He descubierto que, aun cuando estoy muy ocupada en mi vida diaria, las cosas parecen fluir sin complicaciones. Algunos "amigos" con los que solía estar se han disgregado porque, sin tener de qué quejarnos, no tenemos mucho de qué hablar o qué decirnos. Pero eso abre un espacio para más cosas buenas. ¡La paz que ha aumentado es increíble!

~ Marty Pointer ~
(técnico en computación)

En los cuatro meses transcurridos desde que logre pasar 21 días sin quejarme, pienso que el mayor beneficio que he notado es que me es más fácil aceptar a las personas que no comparten mis valores, y los sucesos que no puedo controlar. No tengo que hacer un esfuerzo para dejar pasar las cosas. Me encuentro suavemente gravitando lejos de la gente que parece disfrutar al criticar y hallando defectos, y más cerca de los que miran lo mejor. El florecimiento de muchas amistades con almas similares ha sido una gran recompensa que tal vez nunca hubiera conocido sin haber logrado el reto de los 21 días.

Al terminar los 21 días sin quejarme, he descubierto la bondad que había en mí y que en realidad nunca pensé que tuviera. Mientras que nadie se comporta perfectamente todo el tiempo (y admito de vez en cuando una recaída), me ha sido más fácil encontrar la *luz* dentro de mí después de aprender —como parte de los 21 días— a dejar pasar más fácilmente las imperfecciones de la gente y las circunstancias.

Mientras escribo esto, mi madre de 93 años yace en su cama esperando reunirse con sus padres y muchos otros que amó y que partieron antes que ella. Pesa 36.28 k y no ha comido nada cerca de una semana. La enfermera del hospital dice que no sabe por qué mi madre sigue aún aquí, porque todas sus reservas se han acabado. Está tan débil e indefensa. Esta situación ha sido muy dolorosa para mí y estuve luchando inútilmente para suprimir mis quejas hacia Dios hasta que recurrí a las varias lecciones que aprendí mientras cumplía el "reto". Una de éstas, recordé, fue la de pedir ayuda. Así que le pedí ayuda a Dios.

Ayer me desperté con la clarividencia de que Dios le dio a mi madre un cuerpo maravilloso y fuerte que la había mantenido en buena salud por 93 años. La había llevado a varios destinos, dar a luz y alimentar a tres bebés, tocar instrumentos musicales, tejer a ganchillo colchas, hablar y escribir sus pensamientos y hacer su voluntad de diversas maneras. Ese cuerpo todavía está tratando fielmente de hacer su trabajo de alojar su espíritu, aun cuando se caiga parte por parte. Ahora soy capaz de alabar a Dios en agradecimiento por este regalo maravilloso, y con gratitud aceptar su plan de que la parte terrenal de mi madre llegue a su fin.

Mientras visitaba el hospital con una de las madres que ahí laboran, pude tener una visión personal de cómo el movimiento "Libre de quejas" puede cambiar al mundo. Los ojos de la madre brillaron conforme le explicaba en qué consistía el reto, e incluso antes de que terminara mi explicación me pidió que le mandara cincuenta pulseras para dárselas al personal de ese centro hospitalario. Me dijo que, aunque los trabajadores del hospital tienen la pasión de servicio al auxiliar a los moribundos, también son humanos con todo lo que eso conlleva. Piensa que van a aceptar la oportunidad de servir mejor si se concentran en poner todavía más energía positiva en sus tareas.

Hace seis meses, nunca me hubiera imaginado cómo vivir 21 días libre de quejas cambiaría mi vida, pero en verdad lo ha hecho y ahora conmueve a los que me rodean.

~ Gary Hild ~

(chef ejecutivo)

Mi buen amigo Will Bowen compartió conmigo su proceso de un mundo libre de quejas un día del otoño pasado, cuando pasábamos una tarde agradable montando a caballo cerca de su casa, en la ciudad de Kansas. Al instante me intrigó la idea. En mi carrera como chef profesional, siento que debo ser crítico —con respecto a tener grandes expectativas de mí mismo y de los empleados— para asegurar que vamos a destacar por la alta calidad en comida creativa, y en la presentación para nuestros clientes que tienen sofisticados y variados paladares.

A lo largo de los treinta y tantos años, he pasado mi vida en cocinas profesionales, he progresado con respecto a la vieja usanza europea, hasta un estilo escolar, improvisado, más humano y efectivo. El proceso en el que Will se había comprometido se volvió una idea que me sirvió en maneras que no podría haber anticipado. Especialmente, después de "graduarme" en los 21 días consecutivos sin quejarme, estaba mucho más consciente de cómo comunicarme con mi equipo de trabajo. Ahora escojo mis palabras con más cuidado y pienso que mi papel es de maestro con excelentes habilidades culinarias, más que de jefe o director. Esto libera energía, tanto de mi parte como de los que me rodean, que se usa para hacer más agradable y sin forzar las conversaciones.

Pienso que el proceso "Libre de quejas" va de la mano con la ley de la atracción. Mis pensamientos y mis conversaciones están más orientados hacia la gratitud y la búsqueda de soluciones que conllevan una respuesta equivalente.

Hasta la fecha sigo usando la pulsera como un recordatorio y como un solo método de respuesta a la cantidad de trabajo diario; y de los muchos agradecimientos dados de la manera más positiva. Si estoy tentado a criticar, me detengo y me esfuerzo para expresarlo a la manera de un maestro o un instructor, y las personas parecen sentirse más apreciadas y sienten que se les da atención. Esto ha cambiado mi punto de vista en todo y me siento más libre del estrés y las preocupaciones, del tipo de producto derivado de todo el proceso. Soy muy dichoso y estoy muy agradecido.

~ Jack Ring ~
(sastre)

Me preguntaba cómo haría alguien para evitar quejarse como un reto hasta que comencé mi propio intento de llegar a los 21 días sin chistar por nada.

Tengo un negocio propio: soy dueño de una tienda de ropa para caballeros. El negocio en sí me parece fascinante, conozco gran cantidad de gente ya que interactúo con clientes y vendedores con los que comercio mis productos. Muchos de estos vendedores son diseñadores de los que tenemos noticia por revistas de moda, que son brillantes, extrovertidos y algunos de los más imaginativos que uno no podría esperar conocer.

Sin embargo, como bien se dice, aquí va "el resto de la historia":

Cuando las personas conviven unas con otras diariamente, parece que luchamos por encontrar lo mejor en aquellos con los que trabajamos. Problemas insignificantes pueden empeorarse y amenazar con romper relaciones, provocar discusiones y, como mínimo, desgastar ambas partes hasta llevarlas a una depresión menor. Creo que todos podemos estar de acuerdo en que esta circunstancia no es nada saludable y que quisiéramos evitar.

Creí que podía lograr los 21 días de libre de quejas, así que me puse mi pulsera morada y descubrí que, a excepción de mi negocio, mi esposa, mis hijos, mis impulsos, mi socio, mis empleados, mis proveedores, mi trabajo en la campaña primordial de mi iglesia, mis gatos, mi perro, mis amigos, mis clientes, mi banquero y todos con los que tengo contacto, tal vez tendría una oportunidad.

Comencé a notar un hilo común en mis problemas: *¡yo!* Cuando me topaba con un obstáculo que quería superar, buscaba a qué o a quién culpar. También empecé a escuchar cuánto se quejaban otros sobre problemas que, pensaba, eran con mucho triviales y en la mayoría de los casos eran causados por acciones que ellos mismos hacían. O se quejaban sobre cosas que estaban más allá de sus manos que parecía inútil quejarse. A medida que gastaba pulseras por cambiarlas de mano, empecé a darme cuenta de lo fastidioso que era escuchar las quejas de otras personas y sentirme gruñón.

La luz por fin empezaba a brillar y caí en la cuenta de que mis quejas eran un fastidio para otros como las suyas lo eran para mí. No tuve más excusas para no hacer los 21 días libres de quejas. Cuando alguien más se quejaba sobre algo, yo empecé a mantener la boca cerrada. Cuando llegaba a mi mente un pensamiento de queja empecé a buscar una posible solución o por lo menos aceptarlo tal como era. En el día del amor y la amistad, mientras mi socio y yo junto con nuestras esposas hacíamos un viaje de compras, finalmente logré mis 21 días.

Una de las diferencias que han ocurrido en mi vida fue cuando me di cuenta de que conforme dejé de quejarme escuchaba menos quejas de quienes me rodeaban. Si escuchaba quejas, entendía que no me involucraban directamente a mí, sino que eran intentos de otros para entender situaciones que habían pasado en su vida. También empecé a juzgar menos a los otros. Llegar a los 21 días libres de quejas me ha llevado a buscar soluciones, a sentir menos estrés y cumplir más en casa y en el trabajo. Mi relación con mi esposa, mi familia y mis socios ha mejorado conforme mis rezongos han disminuido. Soy una persona más feliz.

Me quedo en silencio durante los arranques de ira de otras personas, no los escucho para que de esa manera reflexionen en sus comentarios. Podemos decir que se necesitan dos para formular una queja, como se necesitan dos para discutir. La pulsera morada puede ayudar incluso a aquellos que deciden no usarla. Sin audiencia que nos atienda nos encontramos más a tono para lidiar con los problemas que están en nuestras manos y continuar con nuestra vida.

Acallar nuestras quejas puede compararse con el silencio de la meditación: es más fácil escuchar a Dios cuando nos habla.

~ Rick Silvey ~

(profesor universitario)

Si alguien me hubiera dicho cuando me embarqué en esta aventura que tomaba mucho tiempo el completarla, no les hubiera creído. Como verás, nunca, en realidad, me consideré una persona chismosa y quejumbrosa; sarcástica, tal vez, pero no quejumbrosa. Pero una vez concentrando mi atención en mi comportamiento, me di cuenta de que un incidente de queja me mostraría su "otra horrible cara" con la frecuencia suficiente para impedirme lograr completar el programa.

Así que, armado con prácticas espirituales que había acumulado a lo largo del camino, me propuse erradicar completamente de mi vida las quejas. Agradecía tres veces al día por la experiencia que me otorgaba el programa libre de quejas y preveía cómo esa experiencia se manifestaría. También usé afirmaciones positivas y citas para inspirarme durante el día. Mi objetivo era transferir a mi conciencia las características indeseables que habían arraigado en mi subconsciente; ahí podía empezar a trabajar para removerlas. Creo que ésta es una parte integral del proceso. No pude empezar a erradicar estas características hasta que estuve consciente de que las tenía y hasta que las saqué. Lento pero seguro, fui capaz de deshacerme con gran facilidad de estos incidentes de quejas y de chismes.

Este ejercicio de volverme libre de quejas ha reforzado mi visión optimista de la vida. Me doy más cuenta de cómo el pensar negativamente dificulta mi habilidad de estar en paz conmigo mismo y con otros. Soy testigo de que mi relación con mi pareja, mi familia, mis colegas y mis estudiantes ha mejorado. Soy más paciente y tengo menos urgencia en mis asuntos. Mientras que los políticos continúan dándome oportunidades de crecer espiritualmente, me encuentro más relajado y emocionalmente indiferente con respecto a su comportamiento. No me malinterpretes, todavía sigo firme en mis creencias, pero puedo expresar mi posición de manera más noble.

Decidí extender este ejercicio a otros 21 días. Esta vez —además de abstenerme de chismear, de quejarme y de ser sarcástico— me voy a concentrar en eliminar pensamientos de inseguridad y duda; en un futuro, puedo continuar sumando bajo esta postura pensamientos negativos contraproducentes para que pueda en realidad modelar el espíritu de Cristo en todo lo que pienso, digo y hago.

Esta experiencia está para mí mejor resumida en la siguiente cita de George Bernard Shaw: "Para mí la vida no es una vela; es un tipo de antorcha resplandeciente, la cual he conseguido tener por un momento y quiero hacerla arder tan brillantemente como sea posible antes de entregarla a futuras generaciones". Convertirse en una persona libre de quejas incrementa la calidad de los hombres y establece un nuevo estándar para las generaciones futuras.

~ Tom Alyea ~

(asesor de negocios/financiero y coordinador en jefe de un Mundo libre de quejas)

Como fan de la serie de televisión *I love Lucy* me gustaba mucho cuando Ricky Ricardo entraba a la casa y siempre gritaba: "¡Hola, Lucy, ya llegué!" En los primeros años de mi matrimonio yo hacía lo mismo: "¡Hola, Mischa, ya llegué! Pero en algún momento se me hizo más fácil decir: "¡Hola, Mischa, ya llegué y me duele la cabeza (o la espalda, los pies, el estómago)!"

Quejarme se había vuelto una manera de vivir, una manera de atraer la atención, de salirme con la mía o para iniciar una conversación. Siempre me vi como una persona positiva y feliz. Eso hasta que un domingo de julio de 2006 regresé a casa de la iglesia y le conté a mi esposa sobre el reto de los 21 días sin quejas. Estaba entusiasmado y le dije que de todos los de la iglesia yo iba a ser el primero en lograrlo. Ella sólo sonrió y me dijo: "21 días, ya me gustaría verte lograr 21 minutos sin quejarte". Y, después de casi seis minutos, me di cuenta de que iba a ser el reto de mi vida. Mi esposa y yo estábamos sentados en el sillón y de repente dije: "Uff, en verdad está haciendo mucho calor afuera y de seguro me va a doler la cabeza". Me volteó a ver y luego a mi pulsera (que cambié de mano dos veces porque me había quejado dos veces ¡en un solo instante!). La verdad es que estar en silencio esos seis minutos me estaba volviendo loco y tenía que entablar una conversación sobre cualquier cosa. Quería atraer la atención y pensé que ésa fue la mejor manera de hacerlo.

Así que ése fue mi primer reto —aprender a cómo iniciar una conversación sin quejarme—. Una vez que superé esto, seguí con otras de mis quejas. Los cuartos de los niños son un desastre. Dime: ¿quejarse ayuda a que el cuarto de unos adolescentes se limpie más rápido? ¿El clima? ¿Qué puedo hacer al respecto? Y la lista continuó más y más mientras el número de quejas bajaba y bajaba, y conforme el tiempo pasó me di cuenta de cuán negativos eran mis pensamientos y mis palabras para mí y para los demás.

Después de pasar cinco meses trabajando en el reto de los 21 días, finalmente ¡lo logré! ¿Que si tengo menos dolores de cabeza? Sí, porque me di cuenta de que no me daban con frecuencia. Lo que ahora veo es un cuerpo que está saludable y completo y que se está mejorando todo el tiempo. ¿Que si soy más feliz? Ni lo dudes. Las cenas con los chicos son mucho más agradables cuando hablamos de cosas como sueños y esperanzas en vez de las quejas sobre desaseo en los cuartos. ¿Que si estoy feliz de haber perseverado y de cumplir los 21 días sin quejas? Pues tengo un matrimonio maravilloso y tres hijos que amo y adoro; esto ha sido lo mejor que me ha pasado en toda mi vida.

~ Catherine Bohm ~
(enfermera)

Cuando recibí mi pulsera, pronto descubrí que pasar todo un día sin quejarme era muy difícil. Los fines de semana eran fáciles, luego empezaba la semana y el trabajo. Aunque me encantaba mi trabajo, tenía problemas de organización y administración como en cualquier otro trabajo.

Después de cinco meses, vi a varias personas que recibían su "Certificado de felicidad", así que me esforcé más. Les pedí a mis compañeros de trabajo que me ayudaran a evitar las quejas y que me mantuvieran alejada de éstas. Todos con gusto me ayudaron; si veían que tomaba parte de una conversación negativa, jalaban mi pulsera y cambiábamos de tema.

Las cosas iban muy bien a las dos semanas. Después de un día especialmente difícil, cuando uno de los doctores realmente me sacó de mis casillas, me di cuenta de que no había considerado el grupo de doctores en mi plan. Al día siguiente, todos los enfermeros (as) iban a cruzar la ciudad para ayudar a meter los historiales al nuevo sistema de cómputo sin tener instrucciones de cómo hacerlo. Fue una tarea difícil y después de que terminamos el trabajo, tres de nosotros fuimos a almorzar y nos quejamos por dos horas.

Este almuerzo hizo que reiniciara el reto una vez más. Al siguiente intento, en el que alcancé 20 días, en el camino al trabajo me encontré con una enfermera a la que no le caía bien y con la que no hablaba cuando nos tocaba trabajar juntas. En ese momento me encontré al mismo doctor que me había hecho volver a empezar el reto después de 14 días consecutivos. Sólo me faltaba un día para lograrlo y me encontré de frente a mis dos grandes obstáculos. Me reí y dije: "Dios, acepto que tienes el mejor sentido del humor". No solamente realicé el reto, sino también ése fue uno de los mejores días que he tenido en el trabajo.

~ Patricia Platt ~

(profesora)

Comencé el reto de los 21 días pensando: "¡Esto va a ser muy fácil! No me quejo mucho, además vivo sola. Bueno, ¡me tomó casi cuatro meses poder lograrlo! De joven fui abusada sexualmente por mi padre y mi tío. Como una manera de sobrellevar este abuso, recurrí al alcohol, a las drogas y a las relaciones destructivas. Desde hace 18 años que me mantengo sobria y he comenzado a superar ese episodio de mi vida. Sin embargo, todavía sigo peleando con pensamientos de baja autoestima y depresión. No sabía cómo detener mis pensamientos negativos. Había intentado con tarjetas motivacionales, terapias y libros de superación personal. Las personas me decían: "Sólo no pienses así", pero no sabía cómo evitarlo. ¡El esforzarme por vivir sin quejas finalmente me liberó!

Cuando empecé este reto por primera vez, tuve que mover mi pulsera una infinidad de veces al día. Comencé por no moverla un par de días, luego llegué a los siete, luego a los catorce. Me estanqué cuando se publicó un artículo sobre este movimiento en el periódico local. Varios de mis estudiantes me contaron que sus padres habían visto mi nombre en el periódico y querían saber de qué se trataba. Les hablé del reto y quisieron intentarlo. Bueno, tuve a 25 alumnos de cuarto grado observándome cómo volvía a comenzar el reto.

Una de las dificultades que enfrenté en el proceso fue ocasionada por el aumento de mi capacidad de darme cuenta sobre la gran cantidad de pensamientos negativos que otros expresaban. Me enojaba y criticaba. Había veces en que quería desaparecer, pero ésa no era siempre una opción y tampoco me ayudaba a aprender a lidiar con el problema. Así que aprendí a escuchar. Trataba de entender el mensaje que las personas trataban de transmitir más allá de sus palabras. Por ejemplo, cuando un compañero de trabajo se quejaba de su grupo en vez de comprometerse o callarse le hacía comentarios como: "Parece que es una situación muy frustrante. Cuando estaba en una situación parecida, yo hice esto". Mientras continuaba con el reto me di cuenta de que la calidad de mis relaciones mejoraba.

Pero por mucho el mejor regalo que recibí fue ¡librarme de la depresión! La alegría y la felicidad que siento dia-

Bilingual Ga
Age

* G
* Pl
* B
* N
* O
* Fr

Demeter's Garden at the Third Str
(El Huerto del Centro de la Calle T

To Reg

Carbondale Community School Ga

To Register:

Yo, ... No cometo
Errores ... yo decido
hacer lo Malo!

riamente me ha dado la tranquilidad que había pedido y buscado desde que era niña. Seguro que hay momentos en los que me frustro con la vida, pero en vez de quejarme le agradezco a Dios por las cosas que estos momentos me dan. Y ya que he escogido no lamentarme me recuerdo a mí misma mi definición de amor: aceptación incondicional y la búsqueda del bienestar.

* * *

¿Alguno de los comentarios de los campeones tuvo eco en ti? ¿Encontraste en sus testimonios el cambio o mejoría que te gustaría conseguir en tu vida? Tú puedes hacer de alguna de esas experiencias tu realidad, si remueves sistemáticamente las quejas comunes de tu vida diaria. Al cambiar tu pulsera de una mano a otra una y otra vez, finalmente lo lograrás.

CONCLUSIÓN

Uva Uvam Videndo Varia Fit

La queja no debe confundirse con el hecho de hacerle ver a alguien un error o deficiencia a fin de que pueda arreglarse. Y el abstenerse de quejarse no significa necesariamente aguantar un mal comportamiento o una mala conducta. No hay orgullo en decirle al mesero que su sopa está fría y necesita calentarse, si te apegas a los hechos, los cuales siempre son neutrales. "¿Cómo se atreve a servirme la sopa fría...?" Eso es quejarse. [1]

ECKHART TOLLE,
Una nueva tierra

La mejor síntesis para este libro es el epígrafe de Eckhart Tolle que encabeza este capítulo. Realizar un comentario que puede mejorar tu situación a una persona no es quejarse. Regañar a alguien o lamentarte de la situación

[1] Tolle, Eckhart (2005), *A New Earth*, Una nueva tierra: un despertar al propósito de su vida, p. 63.

contigo mismo o con otro es quejarte. Y quejarse atrae más consecuencias que no quieres para ti.

Si verbalmente atacas a un mesero por servirte la sopa fría, él regresará con tu sopa caliente, pero ¿quien te va a decir lo que, en su ira, quizá agregó a tu plato? Mejor ni lo pienses. Cuando a una persona se le formula una queja o crítica, ésta se siente atacada y su primera reacción a menudo es defenderse. Esta defensa puede que se presente como un contraataque. Incluso si esto no ocurre, con tu queja has enviado vibraciones al universo con el mensaje de que eres una víctima y, al hacer esto, has invitado a que más víctimas se te acerquen.

Quejarse es una manera de llamar la atención. Todos quieren ser reconocidos; sin embargo, las personas que se quejan mucho tal vez estén tratando de llamar la atención debido a un problema de baja autoestima. O se quejen con aquellas personas cercanas como una manera de demostrar que sus gustos son sofisticados, especialmente cuando se sienten inseguros en esta cuestión. Quizá se quejen para legitimar y concretar límites que se han autoimpuesto para tener una excusa por no ampliar, desarrollar y mejorar su vida.

Una queja puede ser una llamada para atraer la atención, pero también es una señal al universo de que algo está mal. El universo, que es benefactor pero indiferente, envía más "males". Cuando alguien se queja por cualquier cosa, sin saberlo provoca tener de qué seguir quejándose; así, la espiral negativa se perpetúa.

La manera de escapar de esto es ya no quejarse y agradecer cuando suceden cosas positivas. En cada vida hay muchas, muchas cosas por las que se debe estar agradecido. Para recordar esto todos los días, tan pronto como me levanto, escribo cinco razones por las que estoy agradecido. He descubierto que, en vez de pensarlo, si lo escribo establezco mi agradecimiento para todo el día.

Lo que articulas es lo que demuestras. Habla de cosas negativas y desagradables y recibirás cosas negativas y desagradables. Habla de lo que estás agradecido y atraerás a ti más cosas agradables. Tú tienes una manera específica de hablar que demuestra lo que piensas, y esto crea tu realidad diaria. Te des cuenta o no, tú creas el rumbo de tu día y luego lo sigues. Los resultados pueden ser agradables o dolorosos.

Cuando era niño, una de las historias que mi madre solía contarme trataba de un panadero, un extraño y un tendedero tacaño. En esta historia, una de mis favoritas en aquel tiempo, el extraño entra en un pequeño pueblo en busca de comida y dónde pasar la noche. Cuando se les pregunta si lo ayudarían, el tendedero tacaño y su esposa rechazan la idea.

Entonces el extraño entra a la panadería. El panadero es pobre y sus reservas para hacer pan están a punto de acabarse. Aun así, invita al hombre a pasar y comparte su escasa comida con él. Luego el panadero le da al extraño su propia cama para que duerma. A la mañana siguiente, el extraño agradece al panadero y le dice: "Cualquier cosa que hagas primero esta mañana la continuarás haciendo todo el día".

Al panadero no le queda claro el significado de este comentario. Sin embargo, decide hornear un pastel para que su invitado se lo lleve. Usando lo último de sus reservas, encuentra dos huevos, una taza de harina y un poco de azúcar y especias. Y comienza a hornear. Para sorpresa del panadero, entre más ingredientes de sus escasas reservas usa, más se incrementan. Al tomar los dos últimos huevos, se da cuenta de que cuatro aparecen en su lugar. Él vierte todo lo que queda del saco de harina en una taza, y cuando pone el saco en el piso éste se vuelve a llenar. Jubiloso por su buena suerte, el panadero se da a la tarea de hornear todo tipo de exquisiteces y pronto la plaza del pueblo se cubre con los deliciosos aromas del pan, galletas, pasteles y tartas. Los clientes hacen fila alrededor de la cuadra para comprar sus productos.

Aquella noche, el tendero tacaño visita al panadero que estaba cansado pero feliz, y con su caja registradora rebosante de dinero, y le pregunta en tono de reclamo: "¿Cómo conseguiste tantos clientes el día de hoy?" "Parece que todos en el pueblo te compraron panes horneados y algunos más de una vez." El panadero le cuenta la historia del extraño al que había ayudado y de la extraña bendición que había recibido de éste esa mañana.

El tendero y su esposa salen de la panadería y corren hasta un camino que los lleva a las afueras del pueblo. Continúan corriendo hasta que, al fin, encuentran al hombre a quien se negaron a ayudar la noche anterior. "Gentil caballero", dijeron, "por favor perdone nuestra falta de educación de anoche. Debimos estar mal de la cabeza por no haberle ayudado. Por favor, regrese con nosotros a nuestra casa y permítanos tener el honor de compartir nuestra hospitalidad con usted". Sin decir nada, el hombre los acompaña de vuelta a su casa.

Cuando llegan a la casa del tendero, el viajero es agasajado con una suntuosa comida, excelente vino y deliciosos postres. El extraño duerme en un lujoso cuarto con una cama de plumas de ganso. A la mañana siguiente, mientras el extraño se prepara para partir, el tendero y su esposa dan brincos de alegría anticipadamente, esperando a que el viajero realice su hechizo mágico sobre ellos. En efecto, el extraño les agradeció a sus anfitriones y dijo: "Cualquier cosa que hagas primero esta mañana la continuarás haciendo todo el día".

El tendero y su esposa apuraron al extraño a abandonar la casa y se fueron de prisa a su tienda. Esperando un gran número de clientes aquel día, el tendero toma una escoba y comienza a barrer el piso preparándose para recibir a la multitud de personas que abarrotarían la tienda. Queriendo asegurarse de que tenían suficiente cambio necesario para las ventas seguras de ese día, la esposa comienza a contar el dinero suelto de la caja registradora. Él barría y ella contaba. Ella contaba y él barría. Por más que trataron no pudieron dejar de contar y barrer hasta que el día terminó.

El panadero y el tendero recibieron la misma bendición. El panadero comenzó su día de manera positiva y generosa y recibió dones en gran abundancia; el tendero de manera negativa y egoísta y no obtuvo nada. La bendición no es tendenciosa. La habilidad de crear tu vida es neutral. Úsala de la manera que quieras; recuerda que al final cosecharás lo que hayas sembrado.

Y recuerda que cuando alguien te ataca gravemente, lo hace por su miedo e inseguridad. El que te agrede parte de lo que siente es una posición débil e intensifica su virulencia como una manera de parecer grande y fuerte cuando en realidad se sabe pequeño y débil. Los que atacan están proyectando sus miedos y malestares hacia otros. Tratan de lastimar porque están lastimados.

Si queremos mejorar el mundo, debemos primero extirpar la discordia de nuestra alma. Si cambiamos nuestras palabras, a la larga lograremos lo mismo con nuestros pensamientos, los cuales, a su vez, cambiarán el mundo. Cuando dejamos de quejarnos, removemos la principal salida de nuestros pensamientos negativos, nuestra mente cambia y somos más felices. Al no tener lugar para que los pensamientos negativos sean expresados, nuestra mente deja de producirlos. Cuando tu boca ya no expresa más pensamientos negativos, tu mente creará los pensamientos felices. La fábrica de pensamientos que se encuentra en nuestra mente siempre está trabajando y, en ausencia de un cliente que demande pensamientos negativos, la fábrica cambiará de implementos para producir pensamientos alegres.

Nuestro mundo exterior es proyectado por nuestro mundo interior. Nuestra relación con otra persona comienza con la relación con nosotros mismos. No puedes tratar mejor a otras personas de lo que te tratas a ti. Todo comienza contigo. En Mateo 7:3, Jesús dice: "¿Qué pasa? Ves la pelusa en el ojo de tu hermano, ¿y no te das cuenta del tronco que hay en el tuyo?" Si estás viendo un gran número de personas a tu alrededor que se quejan, tal vez quieras verte a ti mismo y hacer una rápida inspección.

Cuando cumplas tus 21 días consecutivos "Libre de quejas", pasarás de ser una persona que es adicta a quejarse a ser una persona que está en recuperación de la adicción a las quejas. Los alcohólicos dicen que no importa por cuánto tiempo hayas permanecido sobrio, si pasas mucho tiempo alrededor de bebidas alcohólicas, terminarás volviendo a beber. Si las personas a tu alrededor se quejan, mira dentro de ti para ver si tú has atraído a estas personas. Si, después de que te has convertido en una persona "Libre de quejas", esas personas insisten en mantener su situación, aléjate de ellas. Si son compañeros de trabajo, cambia de área o cambia de trabajo. El universo te apoyará a lo largo de tu nuevo camino positivo. Si son amigos tuyos, te darás cuenta de que te has desarrollado más allá de su amistad. Incluso si son familiares, es mejor que limites tu contacto con ellos.

No permitas que las personas que son negativas te aparten de la vida que quieres. Se necesitan 21 días para formar un hábito. Tú puedes revertir el hábito de ser una persona "Libre de quejas" si después de esos 21 días retomas tu viejo comportamiento, así que ten cuidado de aquellas personas que te rodean, porque puedes estar tentado a seguir su camino. Cuídate a ti mismo y ten cuidado de las personas que se quejan. Si tú no te cuidas, puedes volver a hundirte en el pantano de la negatividad. Y recuerda que tu distanciamiento de una persona que se queja puede ser la motivación que ésta necesitaba para examinar su vida y progresar.

La mejor manera de ayudar a otros es convirtiéndote en el modelo de una vida "Libre de quejas". Mientras lo haces, ama a aquellos a tu alrededor. La mejor definición de "amor" que he encontrado es la del doctor Denis Waitley: "El amor es la aceptación incondicional y la búsqueda de lo bueno". Mientras aceptamos a otras personas y diferentes situaciones y buscamos lo bueno en ellas, experimentaremos más y más bondad, porque nuestro enfoque atrae esta expresión a nuestra realidad. Esto significa que no tratamos de que otros se dejen de quejar. En vez de eso, nosotros nos convertimos en "Libres de quejas" y mantenemos una visión de nuestra vida sin quejas o de personas que se quejan. Nuestras vibraciones atraerán personas saludables y felices a nosotros, y aquellos que no lo sean se sentirán incómodos en nuestro entorno y se alejarán.

Usar viejas frases renovándolas es esencial para llevar una vida "Libre de quejas". Cuando algo bueno pasa, sin importar qué tan pequeño sea, dite a ti mismo: "¡Por supuesto!", sabiendo que eres un imán de beneficencia. Incluso puedes poner una sonrisa de "lo sabía" para afianzar la experiencia. ¿Encontraste un lugar para estacionarte enfrente de la tienda que vas a visitar en un día lluvioso? Di: "¡Es sólo mi suerte!" ¿Olvidaste ponerle monedas al parquímetro y al regresar no encontraste una multa en tu parabrisas? Afirma: "Esto siempre me pasa". Si alguien se lamenta de algo contigo, di: "Gracias por enseñarme la compasión". Al principio esto puede ser ridículo, pero cada vez que uses palabras poderosas y afirmativas en tus experiencias estarás fortaleciendo tus cimientos de alegría y abundancia.

Las personas han usado el término *moda* cuando han hablado conmigo acerca de las pulseras moradas "Libre de quejas". En su libro *Cómo crear tu propia moda,* Ken Hakuta define una moda como "algo que todos quieren hoy, pero no mañana". Si ése es el caso, entonces las pulseras moradas pueden ser una moda. Sin duda alguna, por las miles de peticiones que recibimos a diario, todos parecen quererlas hoy en día. Cuando las personas me preguntan cuándo creo que las peticiones alcanzarán el límite, usualmente les respondo: "Tan pronto como lleguemos a los 6 000 millones", esto es, una por cada persona del planeta. Nunca llegaremos a tanto. Tal vez algún día las pulseras moradas sean una parte de una trivia acerca de la primera década del siglo XXI. Sin embargo, convertirse en una persona "Libre de quejas" no es una moda; es un cambio en la conciencia humana que llegó para quedarse. El genio está fuera de la botella, y el mundo no volverá a ser el mismo gracias a esta simple pero profunda idea.

En la actualidad trabajamos con psicólogos especialistas en niños para crear programas escolares "Libre de quejas". Trabajamos en modelos de relación "Libre de quejas", en lugares de trabajo "Libre de quejas", en iglesias "Libre de quejas" y en otros lugares. Nuestra meta es animar a los líderes de todos los países del mundo a que proclamen una vez al año "Un día libre de quejas". No un día festivo, sino un día como el "Día de no fumar" aquí en Estados Unidos. Un día para que las personas sientan cómo sería olvidarse de las quejas, críticas y chismes. En Estados Unidos y Canadá se planea un movimiento para lograr designar esta fecha antes del "Día de acción de gracias". Todo tiene sentido: pasas un día "Libre de quejas" para seguir con un día de gratitud. Lo opuesto a quejarse *es* la gratitud. Si estás convencido, contacta a tu senador, diputado, presidente o a algún otro líder de tu país, haz sonar el tambor para que esto suceda.

Elevemos la conciencia del poder transformador cuando un país y su gente enfoquen su increíble energía colectiva en las soluciones en vez de en los problemas.

En la novela de Larry McMurtry *Paloma solitaria,* uno de los personajes principales, un vaquero seudointelectual llamado Gus McCrae, talla un lema en latín en la parte más baja del letrero de su tienda de ropa. Dice: *Uva Uvam Vivendo Varia Fit.* McMurtry no explica el significado del lema, además de que lo escribe de manera errónea, para dejar entrever el poco conocimiento de latín que tiene el vaquero. La manera correcta de escribirlo es: *Uva Uvam Videndo Varia Fit.* El lema significa que una uva cambia de color cuando ve a otra. Dicho de otra manera: una uva madura a la otra.

En un viñedo, una uva al comenzar a madurar comienza a mandar vibraciones, una enzima, una fragancia o un campo de energía que es recibido por las otras uvas. Esta uva les indica a las otras que es tiempo de cambiar, de madurar. A medida que te conviertas en una persona que mantiene sólo lo más alto y mejor para su persona y para otras con tus palabras y pensamientos, tú les indicarás a todos los que te rodean, simplemente con ser quien eres, que es hora de un cambio. Sin intentarlo siquiera, elevarás la conciencia de aquellas personas a tu alrededor.

Sincronizarse es un principio poderoso. Es por esta razón que pienso que por eso a las personas les gusta abrazarse. Cuando nos abrazamos, aun por unos pocos segundos, nuestros corazones se sincronizan y nos recordamos a nosotros mismos que sólo existe una vida en este planeta. Una vida que todos compartimos.

Si no escogemos con intención cómo vivimos nuestra versión de esta única vida, entonces la viviremos por defecto, siguiéndonos unos tras otros. Cuando mi padre era joven, fue gerente del motel de mi abuelo. El motel estaba enfrente de un lote de autos usados y mi papá hizo un trato con el propietario de la concesionaria. En las noches cuando el negocio del motel tenía poco movimiento, mi padre iba a la concesionaria y movía una docena o más de carros de ahí al estacionamiento del motel. En poco tiempo, el motel estaba repleto de clientes. Cuando las personas pasaban por el motel y veían el estacionamiento vacío asumían que el lugar no era muy bueno. Sin embargo, si el estacionamiento del motel estaba lleno, los transeúntes suponían que era un buen lugar para quedarse. Nosotros seguimos a otros. Y ahora tú eres una persona que está dirigiendo al mundo hacia la paz, comprensión y abundancia para todos.

Anoche, me despertaron los aullidos de los coyotes a las tres de la madrugada. Los aullidos comenzaron con un cachorro coyote solitario que se había separado del resto de la manada. En muy poco tiempo nuestros perros, Gibson y Magic, continuaron el aullido. Pronto, los perros de nuestros vecinos comenzaron a aullar y los aullidos se difundieron por todas direcciones en todo el valle y los perros de los alrededores se unieron. Los coyotes habían creado una onda que se estaba expandiendo. Después de un rato, pude escuchar aullidos de perros por todas direcciones desde muy lejos y todo esto comenzó con un cachorro coyote.

Quien tú eres crea un impacto en tu mundo. En el pasado, tu impacto pudo haber sido negativo debido a tu propensión a quejarte. Sin embargo, ahora estás mostrando optimismo y un mejor mundo para todos. Tú eres una onda en el gran océano de la humanidad que resuena alrededor del mundo.

Tú eres una bendición.

Forma parte de este movimiento positivo y de transformación que continúa cambiando vidas en todo el mundo. Visita:

www.AComplaintFreeWorld.org

- Solicita tus pulseras.
- Haz una donación.
- Compra playeras "Libre de quejas", calcomanías (para defensa), tazas y otros productos.
- Registra tu empresa, iglesia u otra asociación para que sea parte de nuestra red de distribución de pulseras.
- Solicita tu "Certificado de Felicidad" cuando cumplas los 21 días "Libre de quejas".
- Escribe tus consejos, retos y logros.
- Regístrate para recibir nueva información.
- Entérate de próximos talleres, seminarios, cruceros y otros eventos.
- Lee los mensajes de Will Bowen.

Si quieres hacer una donación libre de impuestos para ayudar a cubrir los gastos de compra, empaquetado y envío a todo el mundo de las pulseras moradas, por favor dirígela a:

A COMPLAINT FREE WORLD
1000 NE Barry Road
Kansas City, MO 64155
U.S.A.

Un mundo sin quejas, de Will Bowen
se terminó de imprimir en abril 2014 en
Drokerz Impresiones de México, S.A. de C.V.
Venado Nº 104, Col. Los Olivos, C.P. 13210,
México, D. F.